Véronique
De Caruflel

MME. Nicolas.   17-01-92.
CH2

PREMIERE ENCYCLOPEDIE DES
SCIENCES EN IMAGES

Annabel Craig et Cliff Rosney
Traduction: Renée Chaspoul

Conception: Steve Page et Russell Punter

Illustrations: Chris Lyon, John Shackell et Ian Jackson

Ont également illustré l'ouvrage:
Peter Bull, Russell Punter, Robert Walster,
Steve Page, Martin Newton et Guy Smith

Sommaire

A propos de ce livre

Les savants étudient le monde qui nous entoure. Ils cherchent des explications aux faits courants, par exemple quelle est l'origine de l'éclair et pourquoi les rivières coulent vers l'aval. Ils découvrent et inventent des choses nouvelles, telles que l'électricité, les voitures et les ordinateurs, qui changent la façon de vivre des gens. Cet ouvrage répond à de nombreuses questions que l'on peut se poser et il explique la part de la science dans la vie de tous les jours. Il présente huit parties, qui sont chacune d'une couleur différente.

Compter et mesurer

La chaleur et l'énergie

Les forces et les machines

La lumière et la couleur

Le son et l'ouïe

Les atomes et les molécules

L'électricité et la technologie

Des tableaux et des listes

Certaines pages présentent des questions dont vous trouverez la réponse page 128.

Pour vous référer à telle partie du livre, regardez la bande de couleur en haut de la page.

Il y a des expériences simples qu'on peut faire avec des objets ordinaires.

Certains paragraphes sont entourés d'une ligne rouge. C'est pour prévenir qu'il peut y avoir danger.

Lorsque les mots sont expliqués pour la première fois, ils sont écrits en **caractères gras**. Le glossaire des pages 116–119 donne aussi une liste de mots avec leur explication et l'index des pages 120–127 permet de retrouver ce qu'on cherche dans le livre. Certains mots sont accompagnés d'un astérisque, par exemple gravité★. Cela signifie qu'ils figurent dans une note au bas de la page indiquant où ils sont expliqués dans le livre.

★Les notes sont au bas de la page.

Compter et les chiffres

On se sert des chiffres et on compte si souvent dans la vie courante qu'il est difficile d'imaginer que cela a dû être inventé.

On avait une vague notion de quantité avant l'invention des chiffres. On savait qu'il y avait plus d'animaux dans un troupeau que dans un autre mais on n'arrivait

pas à les compter. On comprenait ce qu'était un, deux, peut-être trois, mais au-delà c'était probablement "beaucoup".

Le pointage

On commença d'abord à noter la quantité en faisant une marque, par exemple une entaille dans un bâton, pour chaque objet compté.

C'est ce qu'on appelle **pointer**. Au Pérou, les Incas pointaient leurs animaux et leurs récoltes en faisant des noeuds dans des cordes appelées **quipos**.

Nous effectuons aussi parfois un pointage. Par exemple, dans un jeu, on note le résultat en marquant chaque point qu'obtient un joueur.

L'invention des chiffres

Après le pointage, on inventa des symboles, les **chiffres**, pour représenter les quantités. Les différentes civilisations inventèrent leurs propres chiffres.

Grec	A	B	Γ	Δ	E	F	Z	H	Θ	I
Romain	I	II	III	IV	V	VI	VII	VIII	IX	X
Hindou	੪	੨	੩	੪	੪	੬	੭	੮	੯	੪੦
Arabe médiéval	1	2	3	q	4	6	∧	8	9	10
Chiffres arabes*	1	2	3	4	5	6	7	8	9	10
Binaire*	I	10	11	100	101	110	111	1000	1001	1010

*Binaire, 5; Chiffres arabes, 5.

Les chiffres romains

Les **anciens chiffres romains** sont un mélange de marques de pointage et de lettres de l'alphabet.

Si le chiffre à droite est plus petit ou égal à celui de gauche, on les ajoute.

Si le chiffre à gauche est plus petit, on le soustrait de celui de droite.

On utilisa les chiffres romains en Europe pendant plus de 1500 ans. Où les voit-on de nos jours? (Réponse page 128.)

LE SAVIEZ-VOUS?

Les premiers chiffres écrits connus remontent à environ 5000 ans et ils furent découverts dans l'ancienne cité de Sumer (Irak). On les traçait sur des tablettes d'argile mouillée qu'on faisait ensuite sécher.

De nouveaux chiffres

Les symboles dont on se sert pour écrire les chiffres furent inventés en Inde il y a environ 1500 ans par des mathématiciens hindous.

Les Arabes apprirent les chiffres à partir de ces symboles il y a environ 1200 ans.

Il y a 900 ans, des commerçants arabes les introduisirent en Europe. C'est pourquoi on les appelle souvent **chiffres arabes**.

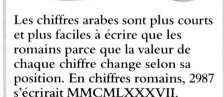

Les chiffres arabes sont plus courts et plus faciles à écrire que les romains parce que la valeur de chaque chiffre change selon sa position. En chiffres romains, 2987 s'écrirait MMCMLXXXVII.

MM	CM	LXXX	VII
2	9	8	7

Les chiffres arabes ont un symbole pour zéro, ce qui permet de faire la différence entre 2, 20, 200.

Les différentes bases

On compte par dizaines, probablement parce que nous avons dix doigts. C'est ce que l'on appelle la **base 10**, ou le **système décimal.**

Il y a 5000 ans, les Sumériens utilisaient la base 60. C'est le plus petit chiffre qui puisse se diviser par 2, 3, 4, 5 et 6, il est donc utile pour partager les choses.

On emploie encore de nos jours la base 60 pour mesurer le temps. Une minute comprend 60 secondes et une heure 60 minutes.

Le système binaire

Les ordinateurs* et les calculatrices fonctionnent en base 2, qu'on appelle le **système binaire,** parce qu'ils n'utilisent que deux symboles, 1 et 0.

Mesurer

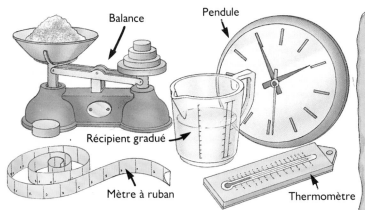

Balance · Pendule · Récipient gradué · Mètre à ruban · Thermomètre

Quelle heure est-il? Combien mesurez-vous? Combien pesez-vous? Quelle est la température dehors? A quelle distance sont les magasins les plus proches? On mesure des choses tous les jours et avec précision grâce aux instruments de mesure.

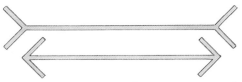

Il ne faut pas toujours se fier à ses yeux. Regardez ces deux lignes bleues: celle qui est au-dessus paraît plus longue que l'autre. Mais si vous les mesurez avec une règle, vous trouverez qu'elles sont toutes deux de la même longueur.

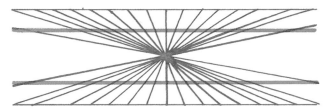

Tournez le livre et regardez ces deux lignes rouges à des angles différents. On dirait qu'elles sont légèrement courbées au milieu, mais en fait elles sont droites et parallèles.

Il ne faut pas toujours non plus se fier à ce qu'on ressent. Vous pouvez avoir l'impression qu'il fait froid dehors, mais une autre personne aura chaud. Un thermomètre mesure la température exacte.

Mesurer avec le corps

Lorsqu'on mesure une chose, on la compare en réalité à une quantité fixe, comme un mètre. C'est ce que l'on appelle une **unité de mesure**. Les premières de ces unités eurent pour origine le corps. Les anciens Egyptiens utilisaient les **coudées**, les **palmes** et les **doigts**.

Les mesures de l'ancienne Egypte

Un doigt · Un palme · Un palme = quatre doigts · Une coudée = sept palmes · Une coudée = du coude à l'extrémité du majeur

Les mesures romaines

Les Romains se servaient de la longueur du pied pour mesurer la distance. Pour les longueurs plus petites, ils divisaient un **pied** en 12 largeurs de pouce, qui s'appelaient chacune une **uncia**.

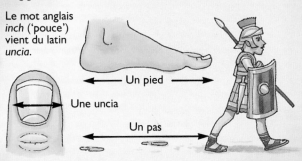

Le mot anglais *inch* ('pouce') vient du latin *uncia*.

Un pied · Une uncia · Un pas

Ils mesuraient les distances plus longues en **pas**, chaque pas en valant en fait deux. Le **mille** représentait 1 000 pas. Le mot anglais *mile* (1 609m) vient du latin *mille*, qui signifie un millier.

Les yards

Un yard

Les marchands de tissu inventèrent une unité de mesure, le **yard**, qui représentait une longueur de tissu allant du menton à l'extrémité des doigts.

Les unités impériales

On peut mesurer avec n'importe quelle unité de mesure, du moment que tout le monde adopte la même. Le problème avec les mesures qui ont pour base le corps, c'est qu'elles varient selon la taille des personnes. Il y a environ 900 ans, le roi d'Angleterre Henri 1er fit une loi qui donnait à tous les yards la même longueur, celle qui allait de son menton à lui au bout de ses doigts. Plus tard, d'autres lois définirent d'autres mesures. Elles prirent le nom d'**unités impériales** et sont encore utilisées dans certains pays.

Le poids d'une personne se mesure en stones, livres et onces**.

La distance se mesure en miles, yards, pieds et pouces**.

La capacité se mesure en gallons, pintes et onces liquides**.

Le système métrique

La première unité de mesure qui n'avait pas de rapport avec le corps fut une unité de longueur, le **mètre**. Le **système métrique** repose sur le mètre.

Le mètre fut inventé il y a environ 200 ans en France. Il fut calculé en divisant par 10 000 000 la distance entre le Pôle Nord et l'Equateur, en passant par Paris.

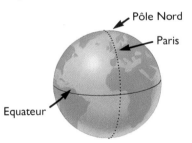

De nos jours, on définit le mètre en mesurant la distance parcourue par la lumière pendant un temps déterminé.

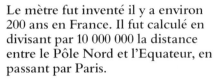

Un mètre

On fabriqua une barre de platine qui avait exactement un mètre de long. On en fit des reproductions pour pouvoir garder le modèle du mètre à différents endroits.

Actuellement la plupart des pays utilisent le système métrique. Les échanges commerciaux sont facilités si tout le monde se sert du même système.

Combien mesurez-vous?

Allongez-vous par terre et demandez à plusieurs personnes de tailles différentes de vous mesurer. Elles doivent d'abord utiliser les coudées, palmes et doigts égyptiens, puis les pieds et *uncia* romains. Leurs réponses varient, pourquoi? (Réponse page 128.)

LE SAVIEZ-VOUS?

La quantité d'espace qu'occupe un objet s'appelle son **volume**★. La quantité de matière dans cet espace est sa **masse**★. Dans le système métrique, on mesure le volume en **mètres cubes (m³)** ou en **litres (l)**.

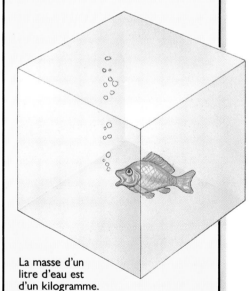

La masse d'un litre d'eau est d'un kilogramme.

La masse se mesure en **grammes (g)** et en **kilogrammes (kg)**. La masse est différente du poids (voir page 33).

Le temps qui passe

Il y a des milliers d'années, on n'avait pas besoin de mesurer le temps de façon précise. Il suffisait de compter les jours et les nuits et d'observer les saisons pour savoir quand semer et planter. De nos jours, on mesure le temps avec précision en heures, minutes et secondes. Regardez les horaires des trains et des autobus, ils indiquent les heures de départ et d'arrivée à la minute près.

L'année égyptienne

Voici quelque 5 000 ans, les anciens Egyptiens divisèrent leur calendrier en 365 jours. Ils remarquèrent que tous les 365 jours une étoile, Sirius, apparaissait dans le ciel juste avant le lever du Soleil.

Ils savaient qu'à peu près au moment où l'étoile apparaissait, le Nil entrait en crue. Après les crues, les fermiers pouvaient labourer leurs champs et planter leurs cultures.

LE SAVIEZ-VOUS?

Les Romains appelaient les heures avant midi *ante meridiem*, et celles après midi *post meridiem*. Aujourd'hui, les abréviations *a.m.* (matin) et *p.m.* (après-midi) sont encore utilisées, par exemple en Grande-Bretagne.

Mesurer le temps

1. Le **gnomon** est la pendule la plus ancienne connue (4 000 ans). On lisait l'heure à partir de l'ombre de la tige verticale sur le plan gradué.

2. Les Egyptiens se servaient d'une **clepsydre** les jours pluvieux ou la nuit. L'eau s'écoulait d'un récipient de pierre, le niveau de l'eau indiquant l'heure.

3. Les **horloges à bougie** furent inventées il y a à peu près un millier d'années. La bougie qui brûlait indiquait combien d'heures s'écoulaient.

4. Les **horloges à balancier** furent les premières à mesurer les secondes. C'est Galilée qui inventa le balancier, mais la première horloge de ce type fut mise au point par Christiaan Huygens en 1667.

5. Les **horloges à cristal de quartz** apparurent en 1929. Les premières montres à cristal de quartz furent fabriquées en 1969; elles sont très précises.

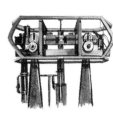

6. Les **horloges atomiques** sont utilisées par les savants pour mesurer le temps avec précision. Elles ne varient que d'une seconde tous les 300 000 ans. La première date de 1948.

Pourquoi y a-t-il des jours et des nuits?

La Terre tourne sur une ligne imaginaire, l'**axe**. Le côté qui fait face au Soleil est au jour, et l'autre dans la nuit. Il faut 24 heures à la Terre pour faire un tour complet.

Les années bissextiles

Il faut 365¼ jours à la Terre pour tourner autour du Soleil, mais une année de notre calendrier n'en comporte que 365. Donc tous les quatre ans, on ajoute un jour supplémentaire à février. Ces années de 366 jours sont appelées **années bissextiles.**

Les changements de saisons

La Terre penche d'un côté, donc une moitié est plus près du Soleil; pour celle-ci c'est l'été tandis que pour l'autre c'est l'hiver. A mesure que la Terre tourne autour du Soleil, elle incline progressivement vers celui-ci une partie différente, d'où le changement des saisons.

Certains endroits de l'Equateur n'ont ni étés ni hivers parce qu'ils sont toujours à égale distance du Soleil.

Les fuseaux horaires

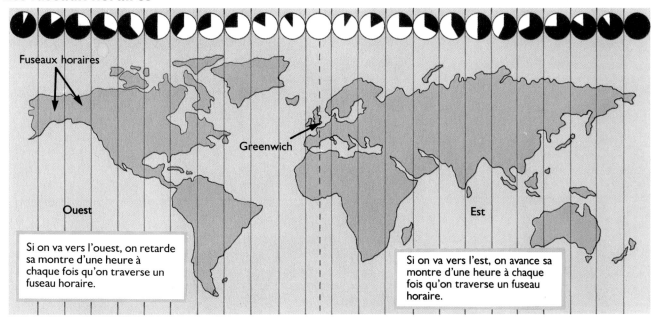

Fuseaux horaires

Greenwich

Ouest

Est

Si on va vers l'ouest, on retarde sa montre d'une heure à chaque fois qu'on traverse un fuseau horaire.

Si on va vers l'est, on avance sa montre d'une heure à chaque fois qu'on traverse un fuseau horaire.

Le monde est divisé en 24 **fuseaux horaires.** On calcule le temps à partir de Greenwich, Londres.

Le fuseau horaire à l'est de Greenwich a une heure d'avance, celui qui est à l'ouest une heure de retard.

Qu'est-ce que l'énergie?

Il se produit des choses tout autour de nous. Le vent souffle, des voitures passent, des gens parlent et se déplacent. En même temps que vous lisez ces mots, vos yeux bougent et le sang circule dans le corps.

Ci-dessous sont illustrées différentes formes d'énergie qui sont à l'origine de plusieurs phénomènes. Tout ce qui se passe sur Terre et dans l'univers est dû à l'énergie.

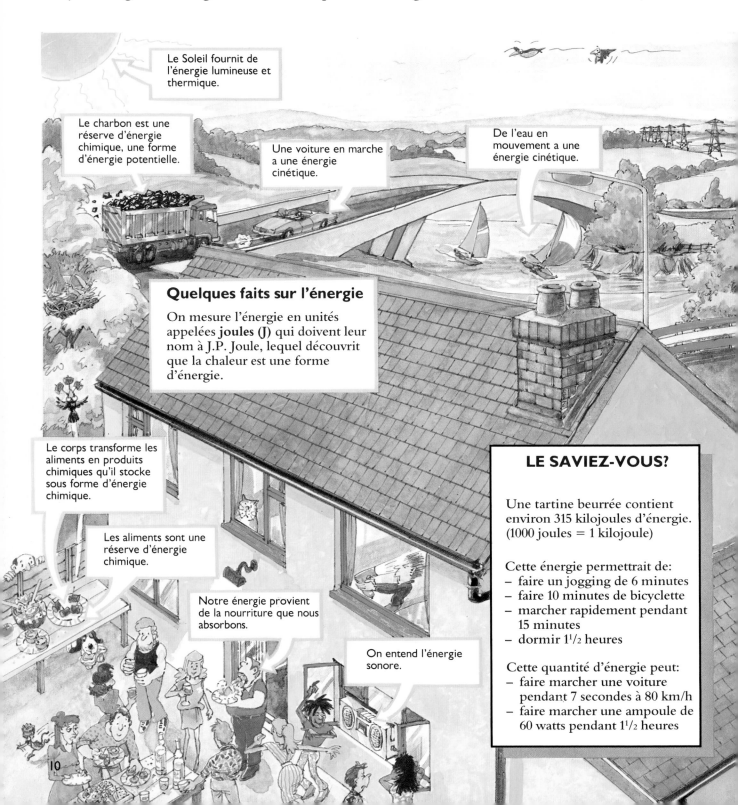

Le Soleil fournit de l'énergie lumineuse et thermique.

Le charbon est une réserve d'énergie chimique, une forme d'énergie potentielle.

Une voiture en marche a une énergie cinétique.

De l'eau en mouvement a une énergie cinétique.

Quelques faits sur l'énergie

On mesure l'énergie en unités appelées **joules (J)** qui doivent leur nom à J.P. Joule, lequel découvrit que la chaleur est une forme d'énergie.

Le corps transforme les aliments en produits chimiques qu'il stocke sous forme d'énergie chimique.

Les aliments sont une réserve d'énergie chimique.

Notre énergie provient de la nourriture que nous absorbons.

On entend l'énergie sonore.

LE SAVIEZ-VOUS?

Une tartine beurrée contient environ 315 kilojoules d'énergie. (1000 joules = 1 kilojoule)

Cette énergie permettrait de:
– faire un jogging de 6 minutes
– faire 10 minutes de bicyclette
– marcher rapidement pendant 15 minutes
– dormir $1^1/_2$ heures

Cette quantité d'énergie peut:
– faire marcher une voiture pendant 7 secondes à 80 km/h
– faire marcher une ampoule de 60 watts pendant $1^1/_2$ heures

On a besoin d'énergie pour faire avancer les voitures, chauffer et éclairer les maisons et permettre au corps de fonctionner. Les différents types d'énergie se divisent en deux groupes, selon qu'il s'agit d'énergie en mouvement ou en réserve.

L'énergie en réserve est appelée **énergie potentielle**, l'énergie associée au mouvement d'une masse est appelée **énergie cinétique**. Vous en apprendrez davantage sur les différentes formes d'énergie et leur utilisation dans les pages suivantes.

Les lumières électriques fournissent de l'énergie lumineuse.

L'énergie électrique passe dans les fils pour alimenter les maisons et les usines.

Le vent ou l'air qui se déplace a une énergie cinétique.

Le pétrole, le charbon, le bois, le gaz et tous les autres combustibles sont une source d'énergie chimique.

Cherchez l'énergie

Les exemples d'énergie sur l'illustration ne sont pas tous marqués. Essayez d'en trouver d'autres. (Réponses page 128.)

Tout corps qui risque de tomber a une énergie potentielle. Plus il est haut, plus il tombe loin, donc plus grande est son énergie potentielle.

Un élastique tendu a une énergie potentielle.

Les piles d'une torche électrique contiennent de l'énergie chimique.

Le feu fournit de l'énergie thermique et lumineuse.

Tout corps qui tombe a une énergie cinétique.

11

Les transformations de l'énergie

Les différentes sortes d'énergie autour de nous peuvent prendre d'autres formes. En fait, on ne peut pas fabriquer ou détruire l'énergie, elle ne peut que se transformer en une autre énergie.

Si on mange trop, le corps accumule la nourriture superflue sous forme de graisse.

Un réveil marche parce que l'énergie chimique à l'intérieur de ses piles★ se transforme en énergie électrique★. Lorsque la sonnerie retentit, l'énergie électrique devient de l'énergie sonore★.

Notre énergie provient de ce que nous mangeons. Le corps transforme l'énergie chimique de la nourriture en un autre type d'énergie qu'il stocke.

Le son de la voix est transformé en énergie électrique. . .

. . . et l'énergie électrique est retransformée en énergie sonore.

Le téléphone transforme l'énergie sonore en énergie électrique, et l'énergie électrique en énergie sonore.

Lorsqu'on bouge, le corps transforme l'énergie chimique produite par la nourriture en énergie en mouvement, ou **cinétique★**.

Les voitures ont besoin de l'énergie chimique du carburant pour avancer. Le moteur★ transforme l'énergie chimique en énergie cinétique.

Les centrales électriques transforment l'énergie chimique des combustibles ou l'énergie cinétique du mouvement de l'eau en énergie électrique.

On peut transformer l'énergie nucléaire★ en énergie électrique. Les panneaux solaires transforment l'énergie solaire en énergie électrique.

L'énergie électrique est transformée en énergie lumineuse★ par les ampoules, et en énergie thermique par les chauffages.

Electricité, 92; Energie cinétique, 11; Energie lumineuse, 50; Energie nucléaire, 77; Energie sonore, 64; Moteurs, 45; Piles, 95.

Fours électriques, grille-pain et fers à repasser transforment l'énergie électrique en énergie thermique★. Un batteur électrique transforme

l'énergie électrique en énergie cinétique. La télévision★ transforme l'énergie électrique en énergies lumineuse et sonore.

Lorsqu'un feu d'artifice explose, son énergie chimique se transforme en énergies lumineuse, sonore et thermique.

L'énergie potentielle★, en réserve, dans tout corps susceptible de tomber se transforme en énergie cinétique lorsque ce corps tombe.

Cherchez les transformations d'énergie

Trouvez sur cette illustration les énergies qui ont subi des transformations. (Réponses page 128.)

LE SAVIEZ-VOUS?

Lorsqu'on court, seulement 25% de l'énergie chimique des muscles se transforme en énergie cinétique. Le reste devient de l'énergie thermique.

Nombre de nos actes ont pour origine la transformation d'une énergie en une autre. Mais l'énergie ne se transforme pas toute comme nous le voulons.

La quantité d'énergie utilisable par rapport à la quantité d'énergie mise en oeuvre s'appelle le **rendement**. Dans la plupart des voitures, seulement un quart de l'énergie

chimique de l'essence se transforme en énergie cinétique. Le reste se perd sous forme d'énergies thermique et sonore. Une voiture a un rendement de seulement 25%.

La chaleur et la température

La chaleur est une forme d'énergie. On s'en sert beaucoup dans la vie courante, par exemple pour se tenir chaud, chauffer l'eau et faire cuire les aliments.

La chaleur se déplace

L'énergie thermique ne reste pas immobile, elle se déplace. Elle passe des corps plus chauds à ceux qui sont plus froids jusqu'à ce qu'ils aient tous deux la même température.

Laissez quelques heures sur une table une boisson chaude et une froide. La boisson chaude se refroidit et la froide se réchauffe jusqu'à ce que toutes deux soient à la température de la pièce.

L'énergie thermique se déplace de trois façons: par **conduction** (voir ci-dessous), par **convection**★ et par **radiation**★.

La conduction

Remuez une boisson chaude avec une cuillère en métal. Le manche s'échauffe parce que la chaleur le traverse. C'est ce qu'on appelle la **conduction**. Il y a transmission de la chaleur dans les solides par conduction et dans certains d'entre eux, comme le métal, elle passe très vite. On dit que ce sont de bons **conducteurs**. D'autres solides tels que le plastique sont de mauvais conducteurs, on les appelle des **isolants**.

Les casseroles en métal conduisent la chaleur jusqu'aux aliments pour les cuire.

Les poignées des casseroles sont en plastique ou en bois parce que ce sont des isolants.

Pourquoi le métal est-il froid au toucher?

Lorsqu'on touche du métal, il est froid. Parce que c'est un bon conducteur, la chaleur passe de la main dans le métal. Ce n'est pas le métal qui est froid, c'est la main qui perd sa chaleur.

L'air tient chaud

Les vêtements tiennent chaud parce qu'ils empêchent le corps de perdre sa chaleur en emprisonnant l'air. La chaleur corporelle ne peut pas traverser l'air ainsi retenu parce que celui-ci est un isolant.

La neige est un bon isolant car elle retient beaucoup d'air.

Les gens perdus dans des tempêtes creusent des trous dans la neige pour se tenir chaud.

Il y a un espace rempli d'air dans les murs pour l'isolation.

Les vestes rembourrées de plumes protègent du froid car elles retiennent l'air.

Les épais vêtements d'hiver retiennent aussi l'air.

Les oiseaux ébouriffent leurs plumes en hiver pour emprisonner davantage d'air.

La laine tient chaud parce qu'elle retient l'air dans ses fibres.

★*Convection, 16; Radiation, 18.*

LE SAVIEZ-VOUS?

Lorsqu'on a froid, on a parfois la chair de poule. La prochaine fois, observez votre peau. Chaque poil se dresse tout droit, ce qui emprisonne l'air pour retenir la chaleur du corps.

La chaleur et la température

Pour mesurer la **température** d'un corps, c'est-à-dire mesurer s'il est chaud ou froid on utilise un **thermomètre**.

Comment fonctionne un thermomètre?

Ce thermomètre contient du mercure. Plus on le chauffe, plus le mercure monte dans le tube. La hauteur du mercure indique la température. Les températures en dessous de zéro sont précédées du signe moins.

Environ un tiers de la chaleur d'une maison se perd par le toit, à moins que celui-ci ne soit isolé.

L'air entre les doubles vitrages est isolant.

Les mammifères des régions froides ont une épaisse fourrure qui emprisonne plus d'air pour leur tenir chaud.

L'eau bout à 100°C.

L'eau gèle à 0°C.

Quelques températures

La surface du Soleil.	5500°C
L'acier fond.	1427°C
La flamme d'une cuisinière à gaz.	600°C
A la surface de la planète la plus chaude, Vénus.	470°C
L'eau bout.	100°C
L'endroit le plus chaud de la Terre, en Libye.	58°C
La température normale du corps humain.	37°C
Température agréable dans une pièce.	18°C
L'eau gèle.	0°C
L'endroit le plus froid de la Terre, en Antarctique.	-88°C
La surface de la planète la plus froide.	-230°C
La température la plus froide.	-273°C

L'air tient froid

De même qu'il tient chaud, l'air peut aussi tenir froid. Dans les pays chauds, les gens portent des vêtements lâches pour permettre à l'air de circuler. Cela empêche la chaleur du soleil de passer dans les corps.

Température et énergie thermique ne sont pas la même chose. Le café et l'eau du bain sur cette illustration sont à la même température, mais l'énergie thermique de l'eau est plus élevée car il y a davantage d'eau.

On mesure la température en unités appelées **degrés Celsius (°C)** et l'énergie thermique en unités appelées **Joules (J)**.

15

Chauffer l'air et l'eau

Les gaz tels que l'air et les liquides comme l'eau ne sont pas en général de bons conducteurs★ de chaleur. Cela signifie que s'ils sont immobilisés, la chaleur ne les traverse pas facilement. Mais si un gaz ou un liquide se déplace librement, il peut transporter de l'énergie thermique. Un chauffage chauffe une pièce entière parce que l'air bouge dans la pièce. Lorsqu'on allume un chauffage, la circulation de l'air transmet son énergie thermique à tous les coins de la pièce.

Comment la chaleur circule-t-elle dans cette pièce?

Le chauffage réchauffe l'air autour de lui. Cet air monte, parce que l'air chaud est plus léger que l'air froid.

A mesure que l'air chaud s'élève, le froid descend prendre sa place. Il est réchauffé par le chauffage et monte à son tour.

Bientôt, l'air circule dans la pièce, chargé d'énergie thermique, jusqu'à ce que la température de toute la pièce s'élève.

Le mouvement de cet air s'appelle un **courant de convection**. L'air dans la pièce a été chauffé par **convection**.

Comment l'eau est-elle chauffée?

L'énergie thermique se déplace aussi dans les liquides par convection. Lorsqu'on fait chauffer une casserole d'eau, c'est la casserole qui chauffe d'abord, par conduction★, puis elle chauffe l'eau à l'intérieur.

L'eau chauffée monte et est remplacée par la froide, car l'eau chaude est plus légère que la froide. L'eau se met à bouger, provoquant un courant de convection. Toute l'eau finira par chauffer.

Regardez bouger la chaleur

Tenez un morceau de papier au-dessus d'un chauffage. Il volette sous l'effet du courant de convection.

Regardez quelque chose de chaud. L'air au-dessus tremble. C'est l'air chaud plus léger qui s'élève en traversant l'air froid.

Lorsqu'il fait très chaud, la surface de la route s'échauffe tant qu'on voit l'air miroiter au-dessus.

La fumée s'élève

La fumée monte d'un feu sous l'effet de la convection. On aperçoit parfois des cendres qui flottent avec la fumée.

Les cendres volcaniques

Lorsqu'un volcan est en éruption, il déclenche de puissants courants de convection qui projettent cendres et poussière haut dans le ciel. En 1980, le mont St Helen's (USA) entra en éruption. Il projeta des cendres à 9 km au-dessus de la Terre, cachant la lumière du Soleil.

Le vent* est de l'air en mouvement, qui consiste en courants de convection au-dessus de la surface de la Terre. La terre se réchauffe plus vite que la mer. Par une chaude journée ensoleillée, l'air chaud au-dessus de la terre monte et il est remplacé par de l'air froid en provenance de la mer. La terre se refroidit aussi plus vite que la mer, donc il se produit le contraire la nuit. L'air chaud s'élève au-dessus de la mer, et il est remplacé par de l'air froid en provenance de la terre.

Suivre la convection

Un avion tire un planeur dans les airs, puis il le lâche.

Le pilote d'un planeur trouve souvent les courants ascendants en observant le vol des oiseaux.

Un planeur n'a pas de moteur, mais il peut voler sur de longues distances et même s'élever dans les airs, grâce à l'air chaud qui monte de la surface de la Terre par convection. C'est ce qu'on appelle des **courants ascendants**. Le planeur vole du moment que le pilote arrive à trouver ces courants.

LE SAVIEZ-VOUS?

Les martinets volent sans arrêt pendant les deux ou trois premières années de leur vie, jusqu'à ce qu'ils aient atteint l'âge de se reproduire. Ils se nourrissent et boivent en vol. La nuit, ils se reposent sur des courants ascendants haut dans le ciel. (Pas comme sur l'image, mais en planant.)

Les rayons solaires

Lorsqu'on est au soleil, la lumière solaire est chaude, car on reçoit l'énergie thermique de l'astre. Cette énergie traverse l'espace sur 150 millions de kilomètres pour atteindre la Terre. Mais ce processus ne s'accomplit ni par conduction* ni par convection* parce que l'espace est vide. La chaleur se propage vers la Terre sous forme de lignes droites invisibles, les rayons solaires, qui se dispersent, ou rayonnent, à partir du Soleil. On parle alors de rayonnement thermique.

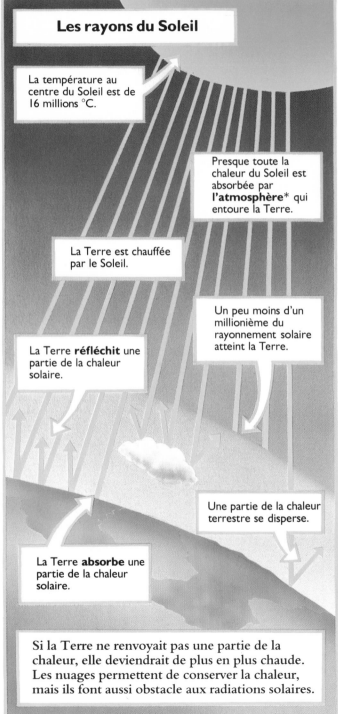

Les rayons du Soleil

La température au centre du Soleil est de 16 millions °C.

Presque toute la chaleur du Soleil est absorbée par **l'atmosphère*** qui entoure la Terre.

La Terre est chauffée par le Soleil.

Un peu moins d'un millionième du rayonnement solaire atteint la Terre.

La Terre **réfléchit** une partie de la chaleur solaire.

Une partie de la chaleur terrestre se disperse.

La Terre **absorbe** une partie de la chaleur solaire.

Si la Terre ne renvoyait pas une partie de la chaleur, elle deviendrait de plus en plus chaude. Les nuages permettent de conserver la chaleur, mais ils font aussi obstacle aux radiations solaires.

Comment fonctionne un gril?

Le gril envoie des rayons de chaleur qui sont absorbés par les aliments, lesquels cuisent par rayonnement thermique.

Le gril reste chaud même une fois éteint, tant que toute la chaleur ne s'est pas complètement dispersée.

La chaleur descend sur les aliments. Il ne s'agit pas là de convection, parce que celle-ci fait monter la chaleur, ni de conduction parce que l'air est un bon isolant qui ne laisse pas facilement passer la chaleur.

Images avec la chaleur

Une photo à infrarouge prise dans le noir montre la chaleur qui émane d'un visage.

Les rayons thermiques s'appellent aussi **rayons infrarouges***. On peut prendre une photo de la chaleur avec un appareil spécial à infrarouge. Les différentes couleurs montrent la quantité de chaleur qui émane des corps, les chauds envoyant davantage de chaleur que les froids.

Absorption et réverbération

Plus un corps absorbe de rayons de chaleur, plus il devient chaud. Un objet qui renvoie une partie de ces radiations s'échauffera moins. Certaines surfaces absorbent davantage les rayons thermiques que d'autres. C'est le cas des surfaces sombres, tandis que les surfaces brillantes et claires réfléchissent les rayons.

La surface réfléchit la chaleur.

La surface absorbe la chaleur.

Tuiles rouges

Les objets noirs laissés au soleil sont plus chauds que les blancs.

Métal brillant

Mur blanc

Ciment

Dans les pays chauds, on peint les maisons en blanc pour qu'elles réfléchissent la chaleur.

Terre

Les satellites météorologiques

Les savants qui étudient le temps s'appellent des **météorologues**. Les photos à infrarouge prises par les satellites leur permettent de donner les prévisions météorologiques. Il y a deux sortes de satellites, les **géostationnaires** et les **polaires**. Les satellites géostationnaires demeurent sur place, à environ 35 000 km au-dessus de l'Equateur.

Les parties sombres sont des endroits chauds.

Les parties claires sont des endroits tempérés.

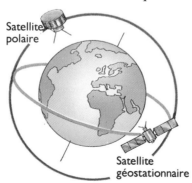

Satellite polaire

Satellite géostationnaire

Les satellites polaires décrivent une orbite autour de la Terre, en passant au-dessus des pôles Nord et Sud. Ils arrivent à photographier toute la surface de la Terre car celle-ci tourne sur son axe au-dessous d'eux.

Scaphandre d'astronaute brillant

Il n'y a pas d'atmosphère autour de la Lune pour absorber le rayonnement solaire. Cela signifie que le Soleil y est beaucoup plus chaud. Pour se maintenir "au frais", les astronautes portent des scaphandres brillants qui renvoient la chaleur.

Suie et neige

Ce qui est noir absorbe davantage le rayonnement thermique que ce qui est blanc. Donc la neige fondra plus rapidement au soleil si on la couvre de suie.

LE SAVIEZ-VOUS?

Certaines sonneries d'alarme fonctionnent par détection des rayons infrarouges. La sonnerie se déclenche lorsqu'elle détecte la chaleur qui émane du corps du voleur.

L'énergie des êtres vivants

Le monde vivant des plantes et des animaux s'étend du fond des océans les plus profonds au sommet des montagnes les plus hautes.

Chaque plante et chaque animal ont besoin d'énergie pour rester en vie. Cette énergie provient de la nourriture, qui dépend de l'énergie solaire.

Les chaînes alimentaires

Les plantes vertes transforment l'énergie lumineuse du Soleil en énergie chimique qu'elles utilisent comme nourriture. Ce sont les seuls êtres vivants capables d'accomplir ce processus.

Certains animaux se nourrissent de plantes vertes et ils servent à leur tour de proie à d'autres animaux. Ainsi, l'énergie solaire passe d'un être vivant à un autre. C'est ce qu'on appelle une **chaîne alimentaire**.

Cette illustration montre qui mange qui pour se nourrir. C'est une **chaîne alimentaire.**

LE SAVIEZ-VOUS?

Presque les trois quarts de la Terre sont recouverts d'eau. De petits organismes appelés **plancton** vivent dans la mer et ils fabriquent les trois quarts de l'oxygène terrestre. Le plus gros mesure environ 1 mm, le plus petit est cinquante fois plus petit.

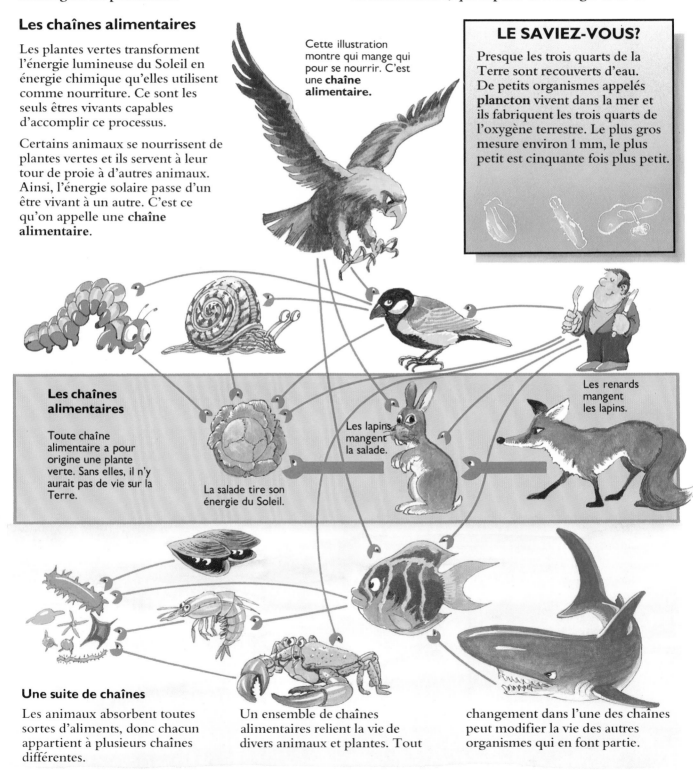

Les chaînes alimentaires

Toute chaîne alimentaire a pour origine une plante verte. Sans elles, il n'y aurait pas de vie sur la Terre.

La salade tire son énergie du Soleil.

Les lapins mangent la salade.

Les renards mangent les lapins.

Une suite de chaînes

Les animaux absorbent toutes sortes d'aliments, donc chacun appartient à plusieurs chaînes différentes.

Un ensemble de chaînes alimentaires relient la vie de divers animaux et plantes. Tout

changement dans l'une des chaînes peut modifier la vie des autres organismes qui en font partie.

Comment les plantes fabriquent-elles leur nourriture?

Les plantes vertes fabriquent leur propre nourriture. Elles absorbent la lumière solaire et un gaz de l'air, le **gaz carbonique**. La lumière solaire et le gaz carbonique se mélangent dans les feuilles à de l'eau et à un produit chimique, la **chlorophylle**, pour se transformer en nourriture, un sucre appelé **glucose**. En même temps, les feuilles de la plante dégagent de l'oxygène, c'est la **photosynthèse**.

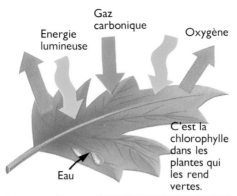

Energie lumineuse

Gaz carbonique

Oxygène

C'est la chlorophylle dans les plantes qui les rend vertes.

Eau

L'énergie qui passe des plantes aux animaux

Lorsque les animaux se nourrissent de plantes vertes, le glucose de la plante se mélange à l'oxygène de leur corps. C'est de là qu'ils tirent leur énergie. En même temps, il se forme aussi du gaz carbonique et de l'eau. Le processus qui consiste à retransformer la nourriture en énergie s'appelle la **respiration**.

Pourquoi respire-t-on?

On inspire parce que le corps a besoin de l'oxygène de l'air pour la respiration. C'est de là que vient notre énergie. On expire pour se débarrasser du gaz carbonique et de l'eau fabriqués au cours de la respiration. Expirez devant un miroir, la buée est de l'eau produite par la respiration.

Pourquoi nous faut-il des aliments?

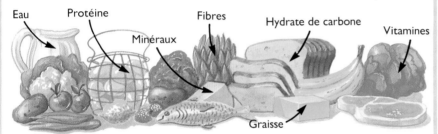

L'énergie permet de bouger les muscles et de s'échauffer le corps.

Eau

Protéine

Minéraux

Fibres

Hydrate de carbone

Vitamines

Graisse

Notre corps a besoin de différents aliments pour rester en bonne santé. Ceux avec des hydrates de carbone et des graisses fournissent l'énergie. Le corps a aussi besoin de **protéines** pour se développer et se soigner, ainsi que de **vitamines**, de **minéraux**, de **fibres** et d'eau.

Les plantes dans le noir

La nuit, les plantes absorbent de l'oxygène.

Elles rejettent de l'eau et du gaz carbonique.

L'équilibre des gaz dans l'air

Gaz carbonique

Oxygène

Pendant le jour, les plantes vertes fabriquent davantage d'oxygène qu'elles n'en utilisent la nuit.

Le jour, les plantes fabriquent leur nourriture par photosynthèse. La nuit, lorsqu'il n'y a pas de lumière, elles absorbent de l'oxygène pour tirer leur énergie de la respiration.

Il y a échange continuel d'oxygène et de gaz carbonique entre l'air et les êtres vivants. Les plantes vertes fabriquent tout l'oxygène de la Terre par photosynthèse le jour.

Hommes et animaux ont besoin de respirer de l'oxygène pour vivre, donc sans plantes il ne pourrait y avoir de vie animale sur Terre.

La planète Terre

L'histoire de la Terre

La Terre s'est formée il y a environ 4 500 millions d'années. On pense que c'était à l'origine un énorme nuage de poussières et de gaz tourbillonnant.

Le nuage commença à se contracter et se transforma en une boule de roches en fusion.

Une fois refroidie, la surface se solidifia en une croûte rocheuse d'où émanaient des nuages de vapeur et de gaz.

De fortes pluies tombèrent des nuages. Elles inondèrent la Terre, formant les premières mers.

Il y a 4 500 millions d'années.

Il y a 570 millions, d'années

Il y a 340 millions d'années.

Il y a 280 millions d'années.

Il y a 50 millions d'années.

La distance de la Terre au Soleil est telle que notre planète est juste à la bonne température pour permettre la vie.

Les **fossiles** sont les restes des premiers animaux et plantes ensevelis dans les anciennes roches du sol. L'étude des fossiles permet aux savants de se faire une idée de ce qu'était la vie il y a des millions d'années.

La Terre est divisée en sept **continents**. Pendant des millions d'années, ils se sont lentement déplacés à la surface de notre planète. C'est ce qu'on appelle la **dérive des continents**.

La surface terrestre se modifie encore de nos jours. Tous les ans, l'océan Atlantique s'élargit d'environ 40 mm. Dans un million d'années, il aura 40 km de plus de large.

LE SAVIEZ-VOUS?

Il a fallu des millions d'années pour que les mers deviennent salées. L'eau provenant des pluies et de la fonte des neiges a peu à peu dissous le sel des roches, qui s'est accumulé dans les mers.

La planète Terre

La Terre est l'une des neuf planètes qui tournent autour du Soleil. C'est ce qu'on appelle le **système solaire**.

Le Soleil est une étoile semblable aux étoiles qu'on voit la nuit. Il paraît plus brillant parce qu'il est plus près.

Les savants pensent que le Soleil s'est formé il y a cinq milliards d'années, à la suite de la contraction d'un gros nuage de gaz qui s'est réchauffé.

Le Soleil est à 150 millions de km de la terre. L'étoile la plus proche après lui est à 40 000 milliards de km.

Les étoiles forment des groupes appelés **galaxies**. Il y a des millions d'étoiles dans chaque galaxie et des millions de galaxies dans l'univers. Notre système solaire fait partie de la galaxie de la **Voie Lactée**.

La Terre se modifie

La croûte terrestre est composée de morceaux distincts, les **plaques**, qui flottent sur le magma brûlant et s'imbriquent les unes dans les autres comme les pièces d'un puzzle.

Là où les plaques ont subi une forte pression pendant des millions d'années, elles se sont plissées les unes sur les autres pour former les montagnes.

La plupart des **tremblements de terre** se produisent près du bord des plaques, là où il y a des fentes appelées **failles**. Il sont dûs au frottement des plaques les unes contre les autres.

Il y a en tout 47 lunes dans notre système solaire. La Terre a une Lune qui tourne autour d'elle, mais Jupiter en a 17.

De quoi est faite la Terre?

La Terre est une énorme boule de roche, constituée de trois parties: la **croûte** ou **écorce**, le **manteau** et le **noyau**.

Sous la mer, l'écorce a environ 6 km d'épaisseur.

La couche supérieure du **manteau** est de la roche en fusion, le **magma**. La **croûte** flotte par-dessus.

Le trou le plus profond jamais creusé a 13 km de profondeur; sa température est de 200°C.

Manteau

Écorce

Noyau externe

Noyau interne

1. Mercure
2. Vénus
3. La Terre
4. Mars
5. Jupiter
6. Saturne
7. Uranus
8. Neptune
9. Pluton

Le centre de la Terre s'appelle le **noyau**. Il est aussi chaud que la surface du Soleil, 5 000°C environ.

La croûte terrestre a une épaisseur moyenne d'environ 35 km, mais elle peut aller jusqu'à 70 km sous les montagnes.

La croûte se renouvelle continuellement. De la roche fondue est poussée au bord des plaques et elle forme des récifs sur le fond océanique.

La Terre ne grossit pas, donc pour laisser la place à la nouvelle croûte, l'ancienne est repoussée dans le manteau, ce qui provoque la formation de profondes fosses océaniques.

La plus profonde est la fosse des Mariannes, dans l'océan Pacifique, située à 11 km en dessous du niveau de la mer.

Lorsque la roche en fusion ou **lave** traverse la croûte, il y a un volcan. La lave durcit en refroidissant et elle forme une montagne.

Près de la terre, les océans ont environ 200 m de profondeur. Cette partie s'appelle la **plate-forme continentale.**Au-delà, la profondeur moyenne des eaux est de 5 000 m.

La plupart des volcans sont sous la mer. Ils se forment à proximité du bord des plaques, qui sont le plus souvent sous-marines.

L'atmosphère

La Terre est entourée d'une couche d'air de 10 000 km d'épaisseur, **l'atmosphère**. L'air est composé d'un mélange de gaz dont les principaux sont l'**azote**, l'**oxygène**, l'**argon** et le gaz carbonique.

L'atmosphère est tenue autour de la Terre par la pesanteur. Plus on s'élève, moins il y a d'air et l'atmosphère se fond peu à peu dans l'espace, où il n'y a plus d'air du tout.

L'**ionosphère** a environ 450 km d'épaisseur. Les ondes radio* voyagent autour de la Terre en rebondissant dessus.

Les avions à réaction volent dans la partie la plus basse de la **stratosphère**, qui a 45 km d'épaisseur. Ceci est au-dessus du niveau du changement du temps.

A peu près à 20 km au-dessus de la Terre se trouve une mince couche de gaz, l'**ozone**, qui la protège des rayons de Soleil ultraviolets* nocifs.

La couche la plus basse de l'atmosphère, la **troposphère**, de 10 km d'épaisseur, est celle où se produisent les changements du temps*.

Ionosphère

Stratosphère

Couche d'ozone

Troposphère

Une couverture autour de la Terre

L'atmosphère agit comme une couche isolante entre la Terre et le Soleil. Le jour, elle protège notre planète de la chaleur brûlante du Soleil. La nuit, elle sert de couverture, en conservant la chaleur solaire absorbée pendant le jour.

*Gravité, 32; Ondes radio, 106; Rayons ultraviolets, 104; Temps, 84.

Les combustibles de la Terre

Il faut beaucoup d'énergie pour faire marcher les machines et les industries du monde. La plus grande partie provient de trois combustibles: le pétrole, le charbon et le gaz, qui servent à chauffer les maisons, à faire avancer les voitures et à produire l'électricité. On les appelle des combustibles fossiles: ils se sont formés à partir des restes de plantes et d'animaux préhistoriques.

L'âge d'un morceau de charbon

Il y a environ 300 millions d'années, la Terre était couverte de forêts marécageuses pleines de plantes géantes. Lorsque ces plantes moururent, elles furent enterrés sous de la boue.
La boue se durcit peu à peu et se transforma en roche. Les plantes en décomposition furent écrasées entre de lourdes couches de roc et chauffées par la Terre. En quelques millions d'années, elles devinrent du charbon.

Mines de charbon

Le charbon se trouve dans des puits ou mines situés sous terre. Les mineurs font sauter les roches avec des explosifs et ils extraient le charbon avec des machines.

La chasse au fossile

Regardez des morceaux de charbon, vous y trouverez peut-être le fossile d'une feuille qui a existé voici des millions d'années.

Pétrole et gaz

Pétrole et gaz se sont formés voici des millions d'années, à partir des restes d'animaux vivant dans les mers préhistoriques. Le gaz provient de la décomposition des organismes.

Pour atteindre le pétrole, on creuse des trous dans le sol. Soit il jaillit à la surface, soit il faut le pomper.

Près de la moitié du pétrole mondial se trouve sous le sol marin. On l'exploite grâce aux plates-formes pétrolières, qui sont parmi les plus grosses structures jamais construites.

Les plates-formes servent aussi à exploiter les gisements de gaz acheminé par tuyau jusqu'à des réservoirs sur terre.

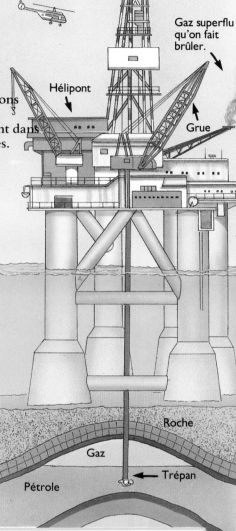

Plate-forme pétrolière

Gaz superflu qu'on fait brûler.

Hélipont

Grue

Roche

Gaz

Trépan

Pétrole

Où trouver les fossiles combustibles

On ne trouve pas toujours charbon, pétrole et gaz aux mêmes profondeurs sous la surface de la Terre. Cela vient du fait que la croûte* terrestre s'est modifiée pendant des millions d'années. Des endroits qui étaient sur terre sont à présent sous la mer, et vice versa.

Lorsque les combustibles s'épuiseront

Les combustibles fossiles fournissent les trois quarts de l'énergie de la Terre. Leur formation a pris des millions d'années, ils ne pourront donc être remplacés lorsqu'ils s'épuiseront.

Il y a des centaines d'années qu'on puise dans la réserve de charbon de la Terre. Il y en a encore probablement assez pour un autre millier d'années.

On n'utilisa le pétrole comme combustible qu'après l'invention des moteurs* de voiture, il y a environ 100 ans. On pense qu'il n'en reste plus que pour une soixantaine d'années.

A quoi servent les combustibles fossiles?

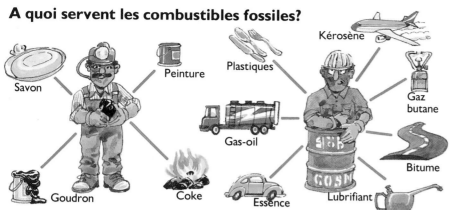

Savon — Peinture
Plastiques
Kérosène
Gas-oil
Gaz butane
Goudron — Coke
Essence
Lubrifiant
Bitume

On brûle le charbon pour obtenir de la chaleur. Mais il sert aussi à fabriquer d'autres choses utiles, comme le savon, les teintures, les parfums, les peintures, le goudron et de nombreux produits chimiques.

Le pétrole extrait du sol a pour nom **pétrole brut**. Il est composé de produits chimiques utiles séparés, ou **raffinés**, dans une **raffinerie**.

La pollution

Pour obtenir de l'énergie à partir d'un combustible fossile, on doit le brûler. La chaleur ainsi dégagée peut servir à chauffer quelque chose ou à faire marcher un moteur.

Lorsque les combustibles fossiles brûlent, ils salissent, ou **polluent**, l'air, dégageant de la fumée et des gaz qui sont nocifs pour les hommes, les plantes et les animaux. C'est la **pollution**.

L'essence qui brûle dans le moteur des voitures dégage un gaz très toxique, l'**oxyde de carbone** et la combustion du charbon salit l'air de ses particules de suie.

Le charbon qui brûle dégage aussi un gaz, l'**anhydride sulfureux**, qui provoque **les pluies acides**, lesquelles empoisonnent arbres et plantes et érodent métal et pierre.

L'énergie nucléaire

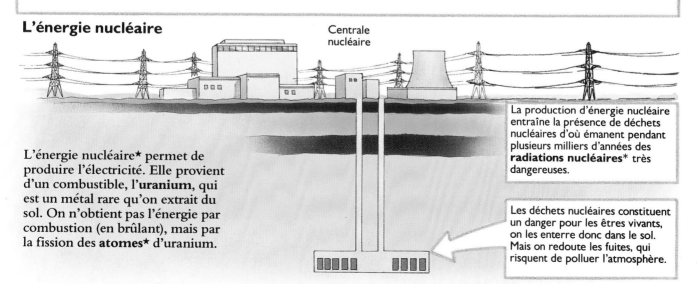

Centrale nucléaire

L'énergie nucléaire★ permet de produire l'électricité. Elle provient d'un combustible, l'**uranium**, qui est un métal rare qu'on extrait du sol. On n'obtient pas l'énergie par combustion (en brûlant), mais par la fission des **atomes**★ d'uranium.

La production d'énergie nucléaire entraîne la présence de déchets nucléaires d'où émanent pendant plusieurs milliers d'années des **radiations nucléaires**★ très dangereuses.

Les déchets nucléaires constituent un danger pour les êtres vivants, on les enterre donc dans le sol. Mais on redoute les fuites, qui risquent de polluer l'atmosphère.

★*Atomes, 76; Energie nucléaire, 77; Radiation nucléaire, 77.* **25**

D'autres formes d'énergie

Les combustibles fossiles provoquent une pollution nocive et ils s'épuisent. On a donc cherché de nouvelles sources d'énergie pour produire de l'électricité et faire marcher les machines. A la place du charbon, du gaz, du pétrole ou du nucléaire, l'homme a appris à utiliser l'énergie issue de l'eau, du Soleil et du vent.

L'énergie hydraulique

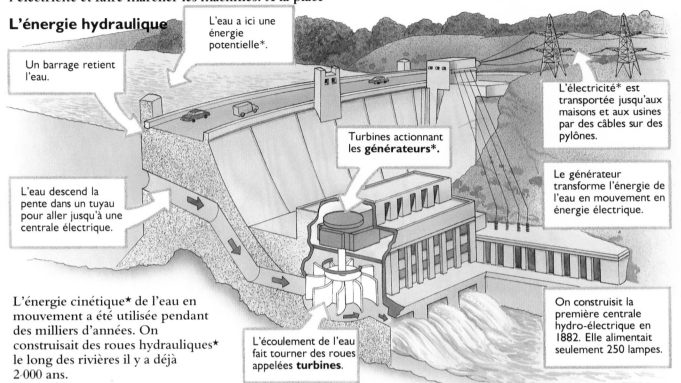

L'eau a ici une énergie potentielle*.

Un barrage retient l'eau.

Turbines actionnant les **générateurs***.

L'électricité* est transportée jusqu'aux maisons et aux usines par des câbles sur des pylônes.

L'eau descend la pente dans un tuyau pour aller jusqu'à une centrale électrique.

Le générateur transforme l'énergie de l'eau en mouvement en énergie électrique.

L'énergie cinétique* de l'eau en mouvement a été utilisée pendant des milliers d'années. On construisait des roues hydrauliques* le long des rivières il y a déjà 2 000 ans.

L'écoulement de l'eau fait tourner des roues appelées **turbines**.

On construisit la première centrale hydro-électrique en 1882. Elle alimentait seulement 250 lampes.

De nos jours, l'énergie du mouvement de l'eau permet de produire de l'électricité dans des **centrales hydro-électriques**. Plus de six pour cent de l'énergie mondiale sont fournis par hydro-électricité. Comme l'eau vient de la pluie ou de la glace qui fond, elle ne s'épuise jamais, mais seuls les pays qui ont beaucoup d'eau peuvent produire de l'électricité de cette manière. C'est le cas de la Scandinavie, de l'Amérique du Nord et de l'Union soviétique.

L'énergie marémotrice

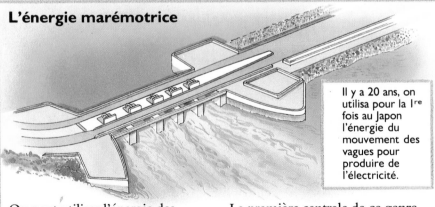

Il y a 20 ans, on utilisa pour la 1re fois au Japon l'énergie du mouvement des vagues pour produire de l'électricité.

On peut utiliser l'énergie des marées pour produire de l'électricité. L'eau qui s'avance est retenue derrière un barrage, puis on la libère en la faisant passer par des turbines.

La première centrale de ce genre au monde fut construite en France, sur la Rance, en 1966. Elle fournit assez d'électricité pour alimenter une ville de 300 000 habitants.

L'énergie éolienne

Pendant des milliers d'années, l'énergie du vent poussa les bateaux à voiles et fit tourner les moulins à vent. De nos jours, ces derniers servent à produire de l'électricité.

L'énergie solaire

Les panneaux solaires sont noirs pour absorber la chaleur du Soleil. L'eau est chauffée lorsqu'elle passe dans les tuyaux à l'intérieur des panneaux.

L'eau chaude est stockée dans un réservoir pour chauffer la maison la nuit.

L'eau chaude du réservoir alimente ensuite les différentes pièces de la maison par des tuyaux.

On peut transformer l'énergie du Soleil, ou **énergie solaire**, en énergie électrique dans des **photopiles** ou s'en servir pour chauffer l'eau.

→ Eau chaude
→ Eau froide

Certaines maisons sont chauffées par le Soleil grâce à des panneaux solaires qui absorbent l'énergie solaire, même par temps nuageux.

La quantité d'énergie qui arrive sur la Terre en provenance du Soleil en un an est plus de 10 000 fois supérieure aux besoins énergétiques du monde.

LE SAVIEZ-VOUS?

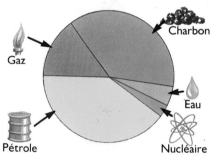

En 1981, le Challenger Solar fut le premier avion mû par l'énergie solaire qui traversa la Manche. Il parcourut les 262 km du voyage en $5^1/_2$ heures.

Les différentes sources d'énergie dans le monde

Charbon
Gaz
Eau
Nucléaire
Pétrole

Les moulins à vent ne polluent pas, mais ils sont gros et bruyants. Il leur faut de vastes espaces pour produire une importante quantité d'énergie.

L'énergie géothermique

Une source d'eau chaude qui jaillit de la Terre s'appelle un **geyser**.

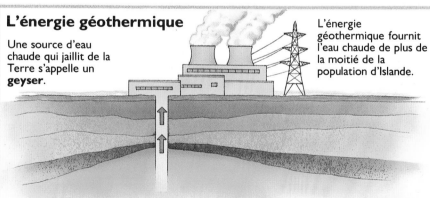

L'énergie géothermique fournit l'eau chaude de plus de la moitié de la population d'Islande.

L'intérieur de la Terre est très chaud. A mesure qu'on descend, la température augmente de 3°C tous les 100 m. A certains endroits, en particulier près des failles★, de

l'eau bouillante ou de la vapeur jaillissent à la surface. Ce genre d'énergie, appelée **énergie géothermique**, sert à chauffer et à produire de l'électricité.

★*Failles, 22.* 27

Pourquoi les corps bougent-ils?

Rien ne bouge tout seul. Les corps se mettent en mouvement uniquement lorsqu'ils sont tirés ou poussés par ce qu'on appelle une force. Si les corps ne sont soumis à aucune force, ils restent immobiles ou continuent à se déplacer à une allure régulière dans la même direction. Il y a plusieurs types de forces.

Les corps qui flottent sont maintenus par une force qu'on appelle **poussée**.

Certains métaux sont attirés vers les aimants par une **force magnétique**.

La **pesanteur** est une force qui attire tout vers la Terre.

Les forces peuvent faire aller les corps plus vite, ou **accélérer**. Plus la force est grande, plus la vitesse des corps augmente.

Pour tendre un arc, il faut tirer contre une **force élastique**, appelée aussi **tension**.

Il y a formation d'une goutte d'eau sous l'effet d'une force appelée **tension superficielle**.

Mesurer les forces

Une force se mesure en unités appelées **newtons (N)**, avec une balance à ressort. Plus la force est grande, plus le ressort se tend.

Si on comprime un ressort, on pousse contre une **force élastique.**

Si on frotte deux surfaces l'une contre l'autre, l'action d'une force appelée **friction** ralentit le mouvement.

Quel effet ont les forces?

Une force fait bouger un corps ou modifie la vitesse d'un corps en mouvement.

Une force change la direction d'un corps en mouvement.

Improvisez une force électrique

Coiffez-vous avec un peigne en plastique. Vous pouvez ensuite ramasser avec des petits bouts de papier. Le mouvement du peigne dans les cheveux lui donne une force électrique qui attire le papier vers lui.

Une force change la forme d'un objet.

28

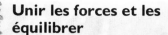

Unir les forces et les équilibrer

Dans une lutte à la corde, les forces de tous les membres d'une équipe qui tirent dans la même direction s'unissent pour constituer une force plus grande.

Lorsque la force des deux équipes qui tirent dans des directions opposées est équilibrée, aucune des deux ne bouge.

Si une équipe tire plus fort que l'autre, les forces sont déséquilibrées. Les deux équipes bougent alors dans la direction de celle qui tire le plus fort.

Des forces déséquilibrées

Lorsqu'une bicyclette avance à une allure régulière sur une route plate, la force qui la propulse est équilibrée par la force de friction★ qui la tire en arrière.

La friction ralentit la bicyclette.

Lorsque les forces ne sont plus équilibrées, la bicyclette change de vitesse.

Si le cycliste pédale moins fort, la bicyclette va moins vite. La force de friction qui la ralentit est supérieure à la force du cycliste.

La force des jambes du cycliste fait avancer la bicyclette.

Si le cycliste pédale plus fort, la bicyclette va plus vite. La force qui la pousse en avant est supérieure à la force de friction qui la retient.

Action et réaction

Plus la nageuse repousse l'eau fortement, plus elle avance.

Les forces vont par deux. La nageuse repousse l'eau, ce qui lui permet d'avancer. La force qui pousse vers l'arrière s'appelle l'**action**. Celle qui pousse vers l'avant, la **réaction**. Toute action entraîne une réaction opposée égale. Ce qui signifie que tout corps qui exerce sur un autre corps une force reçoit de celui-ci une force égale et opposée.

LE SAVIEZ-VOUS?

Les canons situés d'un côté d'un navire à voiles du 16e siècle ne pouvaient pas tous tirer en même temps. Cela aurait provoqué une telle réaction que le navire aurait chaviré.

La friction

Si vous essayez de pousser doucement un livre sur une table, d'abord il ne bougera pas. C'est parce qu'une force appelée friction le retient. Si vous poussez plus fort, le livre finira par glisser. Mais le livre frotte contre la table et la force de friction le ralentit. La friction empêche toujours les corps de bouger, ou elle les ralentit lorsqu'ils bougent.

Aucune surface n'est totalement plate. Même ce qui paraît lisse, comme le métal, ne l'est pas observé au microscope. La friction est plus grande sur les surfaces inégales que sur les lisses. Lorsqu'on écrit, c'est la friction qui permet à la mine du crayon de marquer le papier. Essayez d'écrire sur du verre. Ce dernier est plus lisse que le papier, donc la friction est moindre et le crayon n'écrira pas bien.

La friction est utile

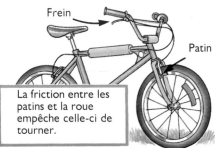

Frein

Patin

La friction entre les patins et la roue empêche celle-ci de tourner.

Les freins fonctionnent grâce à la friction. Plus on les serre, plus les patins appuient contre les roues et plus vite on s'arrête.

Les grimpeurs portent des chaussures avec des semelles à crampons en caoutchouc. La friction entre celles-ci et la roche empêche le pied de glisser.

Si la route est verglacée, la friction est réduite, donc les pneus des voitures ont moins d'adhérence.

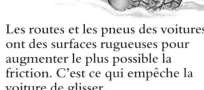

Les routes et les pneus des voitures ont des surfaces rugueuses pour augmenter le plus possible la friction. C'est ce qui empêche la voiture de glisser.

La friction est un obstacle

Les camions consomment plus de carburant que les voitures. Les roues appuient davantage sur la route du fait de leur poids, ce qui augmente la friction.

Une grande partie du carburant des voitures se perd en poussant contre la force de friction.

Il y a toujours friction entre les parties en mouvement d'une machine. Comme celle-ci pousse contre la force de friction, il lui faut plus d'énergie et elle brûle davantage de carburant. Le frottement des parties de la machine les unes contre les autres provoque leur usure.

LE SAVIEZ-VOUS?

Lorsqu'on se frotte les mains, la chaleur qu'on ressent vient de la friction. Plus on frotte fort, plus elles s'échauffent. L'énergie utilisée pour pousser contre la friction se transforme en chaleur. C'est pourquoi les machines sont chaudes après utilisation.

Se débarrasser de la friction

Un **lubrifiant** tel que l'huile réduit la friction.

Pour empêcher le frottement entre les parties d'une machine en mouvement, on utilise un liquide épais, de l'huile par exemple. Ceci réduit la friction, ce qui économise l'énergie et empêche l'usure de la machine.

Faire rouler

Lorsqu'on inventa la roue, elle remplaça les rondins.

Il est plus facile de danser sur des surfaces lisses que sur des surfaces inégales parce que la friction y est moins importante.

Il y a des milliers d'années, on s'aperçut qu'il était plus facile de déplacer de lourdes charges en les faisant rouler sur des rondins qu'en les tirant sur le sol. La friction est moins importante lorsqu'on fait rouler que lorsqu'on tire.

La friction dans l'air

On dit des corps qui ont une forme douce qu'ils sont **aérodynamiques**.

On appelle **résistance de l'air** la friction entre tout corps en mouvement et l'air qui l'entoure. La quantité de résistance qui s'exerce sur un corps dépend de sa forme. La conception des voitures permet de réduire la résistance de l'air.

Le roulement à billes

Le **roulement à billes** est une autre manière de réduire la friction à l'intérieur des machines. Des billes d'acier roulent les unes sur les autres, supprimant ainsi le contact direct entre les pièces en rotation.

Friction brûlante

Il n'y a pas d'air dans l'espace, donc il n'y a pas de friction pour ralentir les corps. Les vaisseaux spatiaux ne se servent de leurs moteurs que de temps à autre pour changer de cap.

Ils entrent dans l'atmosphère★ terrestre à une telle vitesse qu'ils deviennent incandescents. Cela est dû à l'importance de la friction entre les vaisseaux et l'air.

Un coussin d'air

L'aéroglisseur peut avancer sur le sol aussi bien que sur l'eau.

Le plus grand aéroglisseur du monde transporte plus de 400 passagers et 60 voitures et atteint une vitesse de 120 km/h.

Bateaux et sous-marins doivent fendre l'eau, ce qui provoque une friction qui les ralentit. Un **aéroglisseur** marche en flottant sur un coussin d'air, ce qui le maintient hors de portée de la force d'attraction de l'eau. La friction est si réduite qu'il va beaucoup plus vite que les bateaux ordinaires.

La pesanteur

Si on lâche un objet, il tombe. Une force invisible, la pesanteur, entraîne tous les corps vers le centre de la Terre.

Sans pesanteur, rien ne resterait sur la surface de la Terre, tout partirait dans l'espace.

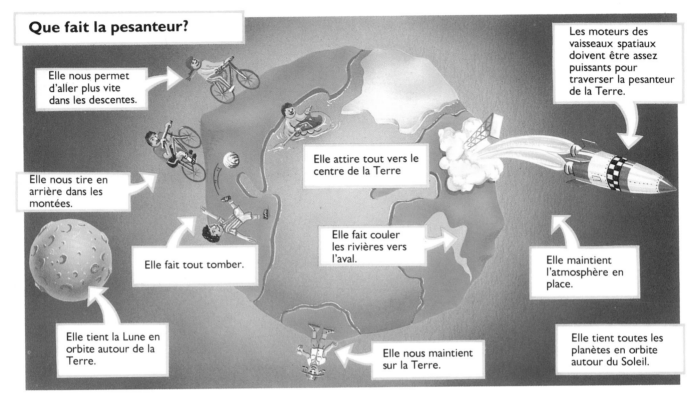

Que fait la pesanteur?

Elle nous permet d'aller plus vite dans les descentes.

Les moteurs des vaisseaux spatiaux doivent être assez puissants pour traverser la pesanteur de la Terre.

Elle nous tire en arrière dans les montées.

Elle attire tout vers le centre de la Terre

Elle fait tout tomber.

Elle fait couler les rivières vers l'aval.

Elle maintient l'atmosphère en place.

Elle tient la Lune en orbite autour de la Terre.

Elle nous maintient sur la Terre.

Elle tient toutes les planètes en orbite autour du Soleil.

Il y a près de 300 ans qu'Isaac Newton comprit le premier la gravité. C'est une force qui attire tout corps vers un autre corps. On ne la remarque que pour les corps qui sont très gros, comme la Terre. La force qui attire tout corps vers la Terre est appelée pesanteur.

Lorsqu'on pèse quelque chose, on mesure la force de la pesanteur qui l'attire vers la Terre. Plus on s'éloigne du centre de la Terre, plus l'attraction de la pesanteur diminue. Donc les objets sont plus légers au sommet des montagnes.

L'équilibre des corps

Centre de gravité

Centre de gravité

Centre de gravité

Tous les corps présentent un point, le **centre de gravité**, où leur poids est en équilibre. Un plateau ne restera droit que si on le tient à cet endroit précis. Les corps très lourds ont un centre de gravité en hauteur, ce qui les fait **tomber plus facilement.**

LE SAVIEZ-VOUS?

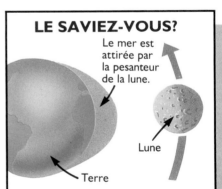

Le mer est attirée par la pesanteur de la lune.

Lune

Terre

Les mers montent et descendent à intervalles réguliers, ce sont les **marées**; elles sont dues à la pesanteur de la Lune, qui attire les eaux directement en dessous d'elle.

Modifier la pesanteur

La force de la pesanteur est différente sur les planètes autres que la Terre. Donc le **poids** d'un corps change si on l'emporte sur une autre planète. Mais la quantité de matière du corps, sa **masse**, est toujours la même où qu'il soit.

Comme toutes les forces, le poids se mesure en **newtons (N)**. Mais quand on pèse un objet, on veut en fait connaître sa quantité, donc sa masse. La balance mesure le poids, puis convertit la donnée en unités de masse telles que le kilogramme★.

Sur la Terre, cet astronaute pèse 600 N et sa masse est de 60 kg.

Sur la Lune, son poids serait de 100 N, mais sa masse toujours 60 kg. En effet, la pesanteur de la Lune n'est que d'un sixième celle de la Terre.

Jupiter a une pesanteur 264 fois supérieure à celle de la Terre. Là-bas, il pèserait 158 400 N, toujours avec une masse de 60 kg.

Problème
Sur Terre, 1 kg pèse environ 10 N. Combien pesez-vous en N? Et combien pèseriez-vous sur la Lune? (Voir page 128.)

Il y a 400 ans, Galilée remarqua que les corps augmentent de vitesse, ils **accélèrent**, à mesure qu'ils tombent.

Il découvrit que les corps légers et les lourds, de forme et de taille identiques, tombent au sol en un même laps de temps. La pesanteur les attire de la même façon.

Faites-en vous-même l'expérience avec des objets différents, comme une pantoufle et une botte plus lourde.

La résistance de l'air

Les corps de forme et de taille différentes tombent à des allures différentes. C'est la forme du parachute qui ralentit la chute de la personne.

La poussée de l'air contre le parachute engendre une importante résistance de l'air★. Sans parachute on tombe plus vite parce qu'on affronte une poussée d'air moins importante.

Plus un corps tombe vite, plus la résistance de l'air qu'il doit affronter est grande. Celle-ci le ralentit et finit par être aussi puissante que l'attraction de la pesanteur. A ce moment-là, sa vitesse reste stationnaire, c'est la **vitesse finale**.

En chute libre

S'il n'y avait pas d'air, il n'y aurait pas de résistance de l'air. Tous les corps qui tombent iraient uniformément de plus en plus vite. C'est ce qu'on appelle la **chute libre**.

Aller tout droit

Les corps bougent parce qu'une force les pousse ou les tire. C'est uniquement elle qui, une fois qu'ils sont en mouvement, leur permet de ralentir, d'accélérer ou de changer de direction. Sans force, un corps en mouvement se déplacerait toujours à la même vitesse dans la même direction.

L'augmentation de la vitesse s'appelle l'**accélération** et sa réduction la **décélération**.

Plus un corps est lourd, plus la force nécessaire à son accélération doit être grande.

La force de friction* des freins permet aux voitures de ralentir. Les voitures rapides ont des freins puissants pour pouvoir ralentir rapidement.

La force du moteur propulse la voiture en avant. Plus le moteur est puissant, plus l'accélération est grande.

La **vitesse** est la distance parcourue en un temps déterminé. On la mesure en comptant combien de mètres un corps parcourt à la seconde (**m/s**), ou combien de kilomètres il parcourt à l'heure (**km/h**).

Un corps peut aller à une certaine vitesse, mais dans une *direction particulière*, par exemple une voiture de course roulera à une vitesse de 150 km/h vers le nord.

En avant . . . arrêt

Les corps dont la masse* est importante ont davantage de force d'inertie que ceux qui ont une petite masse.

Les corps immobiles préfèrent ne pas bouger et les corps en mouvement préfèrent ne pas s'arrêter. C'est l'**inertie**. Tout corps est soumis à l'inertie, et plus sa masse est grande, plus la force d'inertie est importante. Lorsqu'un autobus démarre, on se sent tiré en arrière parce que la force d'inertie du corps veut l'empêcher de bouger. Lorsque l'autobus s'arrête, on est tiré en avant parce que sous l'effet de l'inertie, le corps veut continuer à bouger à la même **vitesse**.

Tours d'inertie

Mettez un verre d'eau sur une table avec dessous une feuille de papier. Tirez fermement le papier d'un coup.

Prenez un verre incassable.

Verre et papier doivent être secs.

Le verre ne bouge pas du fait de son inertie. Cela ne marche que si vous tirez le papier assez vite.

L'inertie des liquides

On peut faire la différence entre un oeuf cru et un oeuf dur grâce à l'inertie. Faites tourner les deux oeufs dans des soucoupes. Attrapez-les pendant qu'ils tournent puis relâchez-les aussi vite que possible. L'oeuf dur ne bouge pas, mais le cru se remet à tourner sous l'effet de l'inertie du liquide à l'intérieur.

Coups de balle

La force avec laquelle on frappe une balle la fait bouger, et elle continue ensuite à bouger d'elle-même. C'est la **vitesse acquise**, qui permet à tout corps en mouvement de prolonger ce mouvement.

Plus on frappe fort une balle, plus sa vitesse acquise est grande, plus elle va loin. La vitesse acquise est fonction du poids de la balle. Une balle de ping-pong aura une vitesse acquise inférieure à celle d'une balle de base-ball.

Si une balle en mouvement en rencontre une autre, la vitesse acquise de la première fait bouger la seconde. Lorsque vous attrapez une balle, sa vitesse acquise vous fait aussi reculer, mais seulement légèrement parce que vous êtes beaucoup plus lourd qu'elle.

Lorsque vous sautez, votre vitesse acquise fait bouger la Terre, mais comme celle-ci est 100 000 000 000 000 000 000 000 de fois plus lourde que vous, le mouvement est infime, donc vous ne le remarquez pas.

LE SAVIEZ-VOUS?

L'animal le plus rapide du monde est le guépard, Il peut courir à plus de 100 km/h et passer de 0 à 70 km/h en deux secondes, ce qui est plus rapide que la plupart des voitures.

Tourner

Le mouvement circulaire diffère du mouvement en ligne droite*. Tout corps se déplace en ligne droite, à moins qu'une autre force le fasse changer de direction. Un corps qui contourne un angle change continuellement de direction, il y a donc une force qui lui implique un mouvement circulaire. C'est ce qu'on appelle la force centripète.

Lorsqu'on fait tourner quelque chose, c'est la force centripète du bras qui lui implique son mouvement circulaire.

Lorsqu'on lâche, la force qui tirait s'arrête et ce qu'on tournait part en ligne droite.

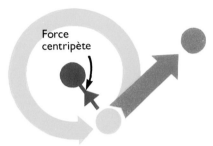

Force centripète

C'est la force centripète qui fait tourner la patineuse; sans elle, elle partirait tout droit.

Faire tourner de l'eau

Si vous faites tourner assez vite un seau plein d'eau, celle-ci ne tombera pas. La force centripète fait aussi tourner l'eau.

La force centripète vient du fond du seau et elle pousse sur l'eau. Si vous ne tournez pas assez vite, l'eau tombe.

Prendre un tournant

La force qui permet à un véhicule de décrire un cercle provient de la friction* entre les pneus et la route. Les tournants des pistes de course se trouvent sur des bordures inclinées.

Les bords relevés aident les bicyclettes à prendre les tournants dans lesquels elles peuvent aller plus vite parce que la pente les empêche de glisser en ligne droite.

Essorer le linge

La machine à laver fait tourner le linge mouillé pour le débarrasser de son eau. La force centripète en provenance du tambour pousse sur le linge et lui implique un mouvement circulaire continu. L'eau sort par les trous et part en ligne droite.

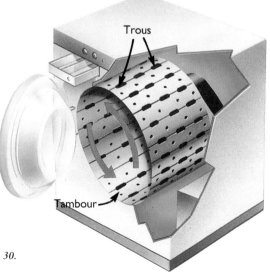

Trous

Tambour

36   *Aller tout droit, 34; Friction, 30.

Tourner, toujours tourner

Tournant pris trop vite.

Plus un objet va vite, plus grande est la force nécessaire pour qu'il décrive un cercle ou prenne un tournant.

Trop lourd pour tourner.

De même, plus la masse★ d'un corps est élevée, plus la force nécessaire pour lui faire décrire un cercle est grande.

Tournant en épingle à cheveux, ne pas aller vite.

Il faut davantage de force à un corps pour décrire un petit cercle qu'un grand. D'où le danger des tournants en épingle à cheveux.

Virages serrés

La friction entre le siège d'une voiture et le passager permet à celui-ci de suivre le mouvement d'une courbe légère. Mais si le véhicule prend un virage serré, le passager glisse sur le siège parce que la force de friction n'est pas assez puissante pour le retenir.

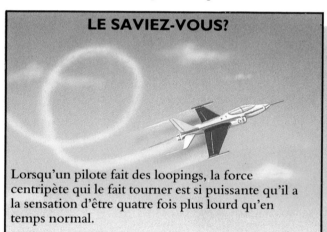

LE SAVIEZ-VOUS?

Lorsqu'un pilote fait des loopings, la force centripète qui le fait tourner est si puissante qu'il a la sensation d'être quatre fois plus lourd qu'en temps normal.

Vitesse acquise

Les corps qui décrivent un cercle ont une vitesse acquise★, tout comme ceux qui se déplacent en ligne droite. C'est elle qui maintient une toupie droite. Lorsque celle-ci ne tourne plus, l'absence de vitesse acquise la fait tomber.

Flotter et couler

Mettez de l'eau dans un récipient et marquez-en le niveau. Ajoutez ensuite des pierres, le niveau de l'eau monte. Les pierres repoussent l'eau, elles la déplacent.

Les corps semblent plus légers dans l'eau qu'ils ne le sont en réalité. L'eau exerce sur eux une pression et les soutient. Hors de l'eau, ils redeviennent lourds parce que l'eau ne les soutient plus.

Plus un corps est gros, plus il déplace d'eau et plus la pression de l'eau sur lui est forte. La force de pression d'un liquide s'appelle la **poussée**.

Pourquoi un navire en fer flotte-t-il?

Le fer solide est très dense, donc même un petit morceau est très lourd. Il coule parce que la poussée de l'eau n'est pas assez forte pour le soutenir. Mais les bateaux ne sont pas tout en fer. Ils sont creux, avec de grands espaces remplis d'air.

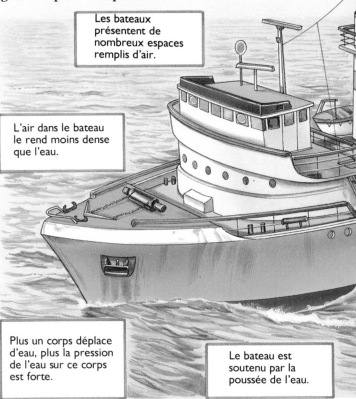

Les bateaux présentent de nombreux espaces remplis d'air.

L'air dans le bateau le rend moins dense que l'eau.

Plus un corps déplace d'eau, plus la pression de l'eau sur ce corps est forte.

Le bateau est soutenu par la poussée de l'eau.

Pourquoi certains corps flottent-ils?

Un morceau de liège flotte dans l'eau, mais un morceau de fer de la même taille coule. Ils déplacent la même quantité d'eau parce qu'ils sont tous deux de taille égale.

Le bouchon flotte parce qu'il est beaucoup plus léger par rapport à sa taille que le fer. Le poids d'un corps par rapport à sa taille s'appelle sa **densité**.

Un corps moins dense que l'eau flotte, parce que la poussée de l'eau est assez puissante pour le soutenir.

Les sous-marins peuvent changer leur densité. Lorsqu'ils remplissent leurs réservoirs d'air, ils flottent. Lorsqu'ils les remplissent d'eau, ils s'enfoncent.

Bien qu'un bateau puisse être très grand, l'air à l'intérieur le rend léger par rapport à sa taille. Il déplace une telle quantité d'eau que la poussée de cette dernière est assez puissante pour le soutenir et le faire flotter.

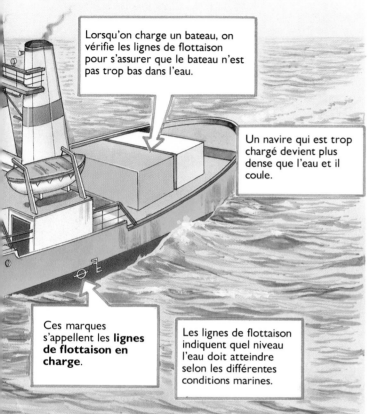

Lorsqu'on charge un bateau, on vérifie les lignes de flottaison pour s'assurer que le bateau n'est pas trop bas dans l'eau.

Un navire qui est trop chargé devient plus dense que l'eau et il coule.

Ces marques s'appellent les **lignes de flottaison en charge**.

Les lignes de flottaison indiquent quel niveau l'eau doit atteindre selon les différentes conditions marines.

Marcher sur l'eau

La surface de l'eau est recouverte d'une sorte de peau assez solide pour permettre à des petits insectes de marcher dessus. Cette peau s'appelle **tension superficielle**. C'est elle qui maintient l'eau en gouttes.

L'eau savonneuse

Lorsqu'on ajoute du savon à l'eau, on en diminue sa tension superficielle et la peau de l'eau devient plus élastique. C'est pour cela qu'on peut faire des bulles avec de l'eau savonneuse.

Mesurer la poussée

Il y a quelque 2200 ans, Archimède remarqua qu'il déplaçait l'eau en entrant dans son bain. Il découvrit que le poids de l'eau ainsi déplacée est égal à la force qui pousse sur un corps qui flotte.

Tout flotte

Les corps flottent dans n'importe quel liquide ou gaz, comme dans l'eau. Les ballons flottent dans l'air parce qu'ils sont moins denses que l'air. Si on met quelques gouttes d'huile de cuisine dans l'eau, elle flotte car elle est moins dense que l'eau.

L'eau salée

L'eau salée a une densité plus grande que l'eau douce, donc les bateaux flottent plus haut dans la première que dans la seconde.

Voici une expérience pour le vérifier. Dissolvez une dizaine de cuillerées à café de sel dans un verre d'eau tiède et mettez de l'eau douce dans un autre verre. Ajoutez un oeuf dans les deux verres. L'oeuf dans l'eau douce coule, alors que celui qui est dans l'eau salée flotte.

LE SAVIEZ-VOUS?

Dans la mer Morte, l'eau est tellement salée qu'on y flotte sans nager. On peut même s'asseoir dans l'eau et lire.

La pression

Plus la surface est grande, plus la pression est faible.

Plus la surface est petite, plus la pression est forte.

Les pieds s'enfoncent dans la neige à moins de répartir le poids du corps sur une plus grande surface en mettant des skis ou des raquettes. La poussée du poids est alors moindre en chaque point de la neige. La force qui agit sur une surface donnée s'appelle la pression.

Les talons de la femme exercent davantage de pression sur le sol que les pieds de l'éléphant, bien qu'elle pèse moins. A votre avis, pourquoi les couteaux tranchants coupent-ils mieux que ceux qui ne le sont pas? Pourquoi les clous ont-ils des bouts pointus? (Réponses page 128.)

Comprimer les liquides

Mettez un peu d'eau dans un ballon dont vous nouerez l'extrémité et aplatissez-le entre deux verres en plastique. Vous ne pouvez pas "tasser" l'eau pour qu'elle prenne moins de place.

On ne peut pas "écraser" les liquides★, donc si on pousse sur une partie d'un liquide, la pression est transmise à toutes ses autres parties.

Dans une voiture, lorsqu'on appuie sur la pédale de frein, un liquide passe dans un tube et est envoyé aux freins. Comme ce liquide ne peut pas être "tassé", il transmet la pression de la pédale aux freins.

Freins à disque de voiture

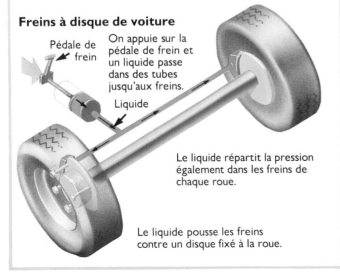

Pédale de frein

On appuie sur la pédale de frein et un liquide passe dans des tubes jusqu'aux freins.

Liquide

Le liquide répartit la pression également dans les freins de chaque roue.

Le liquide pousse les freins contre un disque fixé à la roue.

Comprimer les gaz

Gonflez légèrement un ballon dont vous nouerez l'extrémité et aplatissez-le entre deux verres. Contrairement à l'eau, vous pouvez tasser l'air pour qu'il prenne moins de place.

On peut écraser, ou **comprimer**, les gaz★. Un gaz comprimé, tel l'air dans un ballon, exerce une poussée égale dans toutes les directions. Plus on comprime un gaz, plus sa pression est élevée à l'intérieur.

Les plongeurs respirent de l'air comprimé dans des bouteilles en métal.

Les bouteilles sont très solides afin de pouvoir retenir l'air comprimé à l'intérieur.

Si l'air de ces bouteilles n'était pas comprimé, il en remplirait 300.

La pression dans les liquides

Trous de la même taille

Espaces égaux

Faites trois trous dans une bouteille en plastique et recouvrez-les de papier adhésif. Remplissez la bouteille d'eau puis enlevez le papier collant.

L'eau qui sort du trou inférieur jaillira le plus loin car le poids de l'eau en haut de la bouteille pousse sur l'eau qui est dessous. Plus l'eau est profonde plus la pression est forte.

Les sous-marins doivent être très solides afin de ne pas être écrasés par l'énorme pression au fond de la mer.

La pression dans l'air

La pression dans l'atmosphère* agit de la même façon que dans l'eau. Le poids de l'air qui est au-dessus pousse sur celui qui est en dessous. C'est la **pression atmosphérique**. Plus on se rapproche du sol, plus la pression atmosphérique est haute.

On mesure la pression de l'air avec un **baromètre**.

Les changements de la pression de l'air ont une influence sur le temps*.

L'équilibre de la pression

La poussée de la pression atmosphérique ne provoque pas l'effondrement des objets. En effet, la poussée vers l'extérieur de l'air qu'ils contiennent est aussi puissante que celle de l'air au dehors qui appuie sur eux.

La constitution du corps est telle qu'on ne sent pas la pression atmosphérique.

Le niveau des liquides

Regardez à l'intérieur d'une théière ou d'une cafetière. Le liquide dans le pot et le bec sont toujours au même niveau parce que la pression atmosphérique appuie pareillement des deux côtés.

Le principe de succion

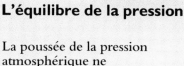

Si on fixe une ventouse sur un objet, on pousse de l'air vers l'extérieur de sorte que la pression dans la ventouse est inférieure à celle de l'extérieur. La poussée de la pression atmosphérique maintient la ventouse en place.

Les pompes

Il y a deux pompes dans notre corps, le coeur, qui pompe le sang et les poumons, qui pompent l'air.

Les pompes servent à déplacer liquides et gaz. Une seringue est une pompe simple. Lorsqu'on appuie sur le piston, la pression à l'intérieur augmente et le liquide sort.

LE SAVIEZ-VOUS?

La pression de l'air change à mesure qu'on s'élève. C'est pour cela que les oreilles se bouchent en avion. Si on bâille ou qu'on avale, l'air entre ou sort des oreilles, ce qui met la pression à l'intérieur au même niveau qu'à l'extérieur.

Les machines simples

Il y a quelque milliers d'années, on faisait tout en se servant uniquement de la force de ses muscles ou de celle des animaux. Petit à petit, on inventa des machines pour faciliter le travail. En science, accomplir un travail signifie utiliser une force pour déplacer un corps.

Coin

Autrefois, on trouvait plus facile de déplacer des charges lourdes en les faisant rouler sur des rondins. Puis on inventa la **roue**.

On s'aperçut qu'il était plus facile de fendre bûches et pierres en les frappant avec un morceau de bois de forme triangulaire, le **coin**.

Soulever des charges

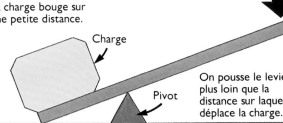

L'effort est la poussée qu'on exerce pour soulever la charge.

La charge bouge sur une petite distance.

Effort

Charge

Pivot

On pousse le levier plus loin que la distance sur laquelle se déplace la charge.

On déplace plus facilement une lourde charge à l'aide d'un long bâton, le **levier**, qu'on appuie sur un **pivot**. Il faut pousser le levier plus loin que si on poussait la charge, mais cela demande moins d'effort que de déplacer la charge directement. La brouette est un genre de levier, sa roue fonctionne comme un pivot. Ciseaux et sécateurs sont des leviers, le pivot est là où les lames se croisent.

LE SAVIEZ-VOUS?

La plus grande machine du monde est une excavatrice qui se trouve à Hambach, en Allemagne de l'Ouest.

Elle a 220 m de long et 85 m de haut, ce qui représente la hauteur d'un immeuble de trente étages.

Test avec un levier

Appuyez ici pour soulever le couvercle.

Les longs leviers facilitent le travail. Otez le couvercle d'une boîte de conserve avec une pièce de monnaie, puis essayez avec une cuillère. C'est plus facile avec la cuillère car elle est plus longue.

Pentes et vis

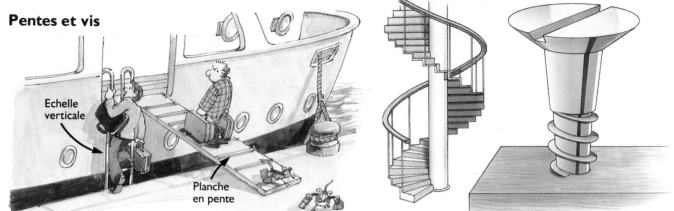

Echelle verticale

Planche en pente

On soulève une charge plus facilement sur une **pente**. Le trajet est plus long, mais cela demande moins d'effort de porter une charge sur une pente douce que de la soulever tout droit.

Un escalier en spirale fonctionne comme une pente enroulée. L'escalier est plus facile à monter que s'il était tout droit, mais il faut marcher plus longtemps.

Une **vis** marche comme un escalier en spirale. Il faut tourner la vis plusieurs fois pour la faire pénétrer dans le mur, mais c'est plus facile que de l'enfoncer directement.

Les poulies

Une **poulie** aide à soulever les objets. Il est plus facile de faire monter une charge avec une poulie que de la soulever directement, car le poids du corps aide.

Si on tire ici, on soulève la charge.

L'utilisation d'une poulie à plusieurs roues permet de soulever des charges encore plus lourdes, car le poids est réparti sur une plus grande longueur de corde.

La vis d'Archimède

La vis qui tourne fait monter l'eau.

La poignée fait tourner la vis.

Cette machine fut construite pour tirer de l'eau avec une vis.

Elle fut inventée en Grèce par Archimède il y a 2200 ans.

Les engrenages

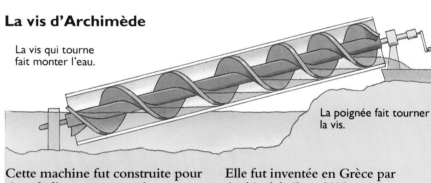

Les grosses roues ont davantage de dents que les petites.

Dents

Roue motrice

Grosse roue

Petite roue

Une roue qui a cinq dents tourne deux fois plus vite qu'une roue qui en a dix.

Une roue qui a vingt dents tourne moitié moins vite qu'une roue qui en a dix.

Les **engrenages** sont des roues dentées dont on se sert pour changer les vitesses. Lorsque la roue motrice tourne, elle entraîne la roue voisine. La roue motrice peut faire tourner une roue plus petite plus vite, ou une roue plus grosse plus lentement. Observez un fouet mécanique. La grosse roue tourne lorsque vous tournez la poignée, ce qui fait tourner le pignon et le fouet qui lui est relié beaucoup plus vite que si vous les tourniez à la main.

Les moteurs

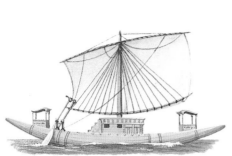

On fit d'abord marcher les machines simples à la main ou à l'aide d'animaux. Puis on apprit à se servir de la force du vent pour faire avancer les bateaux à voiles et faire tourner les ailes des moulins où on broyait le grain en farine. Plus tard, on utilisa la force de l'eau des rivières pour faire tourner les roues hydrauliques qui pompaient l'eau ou actionnaient les machines.

La machine à vapeur

1. On chauffe l'eau en brûlant du charbon ou du bois. L'eau bout et se transforme en gaz, la **vapeur**.

Vapeur

Cylindre

Piston

Eau

Combustible

2. La vapeur provoque une forte augmentation de la pression* dans le cylindre, ce qui projette le piston en avant.

3. La vapeur occupe environ 1700 fois plus de place que l'eau qui est à son origine.

Le premier moteur qui fit marcher une machine fut la **machine à vapeur**, qui transforme en mouvement la chaleur dégagée par un combustible qui brûle.

L'âge de la vapeur

La machine à vapeur fut inventée en 1777. Bientôt la force de la vapeur fit fonctionner de nombreuses machines et les gens déménagèrent dans les villes pour aller travailler dans les nouvelles usines. Cette époque prit le nom de **Révolution industrielle**.

La turbine à vapeur

La vapeur entre par ici.

Aubes de turbine qui tournent.

La locomotive à vapeur

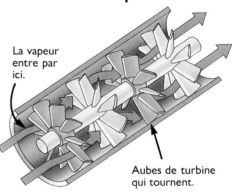

Plus tard, on adapta les machines à vapeur sur des voitures à roues qui avançaient sur des rails. La **locomotive à vapeur** était née.

Le premier chemin de fer fut ouvert aux voyageurs en 1825 en Grande-Bretagne; cent ans plus tard, le chemin de fer s'était répandu dans le monde entier.

De nos jours, on utilise la force de la vapeur dans les centrales électriques*. La vapeur fait tourner les aubes d'une turbine, ce qui produit de l'électricité.

La voiture

Jusqu'à l'invention de la machine à vapeur, les gens voyageaient rarement loin. Ils se déplaçaient soit à cheval soit dans des voitures tirées par des chevaux.

La première voiture, construite en 1769, avait un moteur à vapeur. Elle était lente et sale, son moteur, gros et lourd, transportait, beaucoup de combustible.

En Allemagne, en 1885-86, Daimler et Benz améliorèrent la construction des voitures avec un nouveau type de moteur, le **moteur à combustion interne.**

Le moteur à combustion interne

Nikolaus Otto construisit le premier **moteur à combustion interne** en 1876. Il était plus petit que le moteur à vapeur et marchait avec un nouveau combustible, **l'essence**, qui était léger et facile à transporter.

LE SAVIEZ-VOUS?

Il y a aujourd'hui environ 300 millions de voitures dans le monde, c'est à dire une voiture pour 15 personnes. On en construit chaque année 30 millions.

Comment fonctionne une voiture?

1. Pour faire démarrer une voiture, le conducteur allume brièvement un moteur électrique, ce qui met les pistons en mouvement.

3. A mesure que ce piston s'élève, il tasse le mélange dans un espace réduit.

Un **moteur diesel** est un moteur à combustion interne qui marche au diesel. A la place d'une étincelle électrique, c'est de l'air chaud qui fait exploser le combustible.

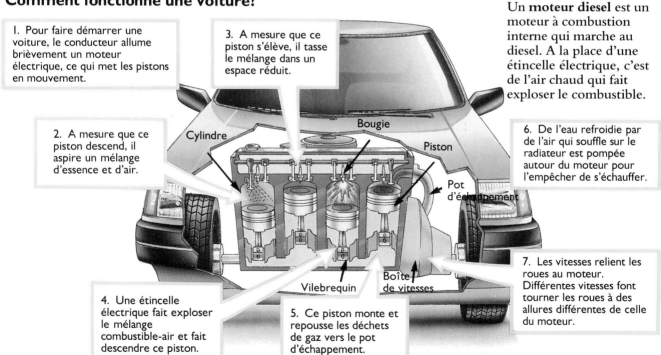

2. A mesure que ce piston descend, il aspire un mélange d'essence et d'air.

Cylindre

Bougie

Piston

6. De l'eau refroidie par l'air qui souffle sur le radiateur est pompée autour du moteur pour l'empêcher de s'échauffer.

Pot d'échappement

Vilebrequin

Boîte de vitesses

7. Les vitesses relient les roues au moteur. Différentes vitesses font tourner les roues à des allures différentes de celle du moteur.

4. Une étincelle électrique fait exploser le mélange combustible-air et fait descendre ce piston.

5. Ce piston monte et repousse les déchets de gaz vers le pot d'échappement.

Le mélange essence-air explose dans des **cylindres**, ce qui fait monter et descendre les pistons.

Le **vilebrequin** transforme le mouvement perpendiculaire en un mouvement circulaire, ce qui fait tourner les roues.

La plupart des moteurs sont des **moteurs à quatre temps**: chaque cylindre remplit à tout moment l'une des quatre fonctions ci-dessus.

Les machines volantes

Les ballons d'air chaud volent parce qu'ils arrivent à flotter★ dans l'air. Les avions sont trop lourds pour flotter. Ce sont leurs ailes qui leur permettent de voler; elles fournissent une force, la portance, qui les soutient.

La montée des **aérofreins** réduit la portance.

Aérofrein

La descente des **volets** augmente la portance.

Aileron

Les **ailerons** font rouler l'avion d'un côté à l'autre.

Le moteur pousse l'avion en avant, de sorte que l'air glisse sur les ailes.

Gouvernail

Le **gouvernail** permet à l'avion de tourner à gauche ou à droite.

Gouvernail de profondeur

Les **gouvernails de profondeur** permettent à l'avion de piquer ou de s'élever.

Les ailes d'un avion

Pour comprendre comment fonctionnent les ailes d'un avion, soufflez fort au-dessus d'une bande de papier, elle s'élève.

Plus l'air circule vite, plus sa pression★ est faible. Donc lorsqu'on souffle, la pression est plus élevée sous le papier que dessus, ce qui le fait s'élever.

La force qui permet à l'aile de s'élever est la **portance**.

Circulation d'air

La forme d'une aile d'avion et son profil permettent à l'air de circuler plus vite au-dessus de l'aile, ce qui soulève l'appareil.

Les moteurs à réaction

La plupart des nouveaux avions qu'on construit actuellement ont des **moteurs à réaction**. Pour en comprendre le fonctionnement, gonflez un ballon et lâchez-le. L'air qui en sort propulse le ballon en avant.

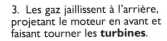

1. Les **pales du compresseur** tournent très vite et aspirent de l'air dans le moteur.

3. Les gaz jaillissent à l'arrière, projetant le moteur en avant et faisant tourner les **turbines**.

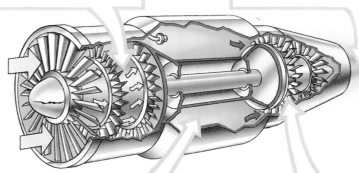

2. Le kérosène explose dans la **chambre de combustion**, produisant des gaz brûlants.

4. Les turbines sont reliées au compresseur. Elles le font tourner et il aspire de l'air.

★*Flotter, 38; Pression, 40.*

L'hélicoptère

A la place des ailes, les hélicoptères ont des pales de rotor qui ont un profil aérodynamique. Lorsque les pales tournent, l'hélicoptère décolle.

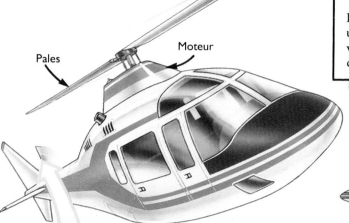

Pales

Moteur

La pale arrière empêche l'hélicoptère de tournoyer.

Lorsque les pales sont à plat, l'hélicoptère plane ou monte et descend.

L'inclinaison des pales permet à l'hélicoptère d'avancer, de reculer ou de se déplacer latéralement.

Quelques vols historiques

1. Le premier engin qui transporta des hommes dans les airs fut un ballon. Il fut construit par les frères de Montgolfier et vola pour la première fois à Paris en 1783.

2. Durant les cent années qui suivirent, on essaya de faire voler toutes sortes d'engins.

3. En 1903, un avion vola pour la première fois, pendant 12 secondes seulement. Il avait une hélice fixée à un moteur à essence et fut fabriqué par Orville et Wilbur Wright.

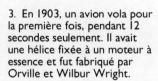

7. En 1969, le Concorde fut le premier avion de ligne à voler plus vite que le son*.

4. En 1909 Louis Blérot réalisa le premier la traversée de la Manche en avion et en 1919, John Alcock et Arthur Whitten Brown franchirent l'Atlantique sans s'arrêter.

5. En 1939, Igor Sikorsky conçut et fabriqua le premier hélicoptère qui marchait avec un seul rotor.

6. Le premier avion à réaction du monde fut le De Havilland Comet, qui effectua son premier vol en 1949.

L'espace

Les vaisseaux spatiaux sont lancés dans l'espace par des moteurs de fusées très puissants. Seul un moteur de ce genre est capable de contrer la pesanteur de la Terre.

Les fusées et les moteurs de fusées

Les moteurs des fusées fonctionnent sur le même principe que les moteurs à réaction*. Ils avancent en éjectant des gaz puissants produits par la combustion de carburant.

Rien ne brûle sans oxygène. Comme il n'y en a pas dans l'espace, les fusées doivent emporter leur propre réserve. Pour brûler le carburant, elles utilisent de l'oxygène liquide ou un **oxydant**, qui est un produit chimique contenant de l'oxygène.

Oxydant

Carburant

Propulseurs auxiliaires

Des gaz brûlants s'échappent des tuyères, propulsant la fusée en avant.

Le carburant brûle ici.

Voici la fusée Ariane, qui fut construite sous la direction du C.N.E.S. (Centre national d'études spatiales) et qui met des satellites sur orbite.

LE SAVIEZ-VOUS?

Dans l'espace, les astronautes peuvent grandir de 5 cm. Leur colonne vertébrale s'étire parce qu'elle n'est plus comprimée par la pesanteur.

Pour échapper à l'attraction de la pesanteur, le vaisseau bénéficie au départ d'un vol d'une poussée supplémentaire grâce aux moteurs des propulseurs auxiliaires, qui tombent lorsqu'ils ont consommé tout leur carburant.

Quelques dates importantes

1957. Mise sur orbite autour de la Terre par l'URSS du premier engin spatial, Spoutnik I. C'était un satellite de 58 cm de diamètre qui pesait 84 kg.

1961. Youri Gagarine (URSS) est le premier homme à aller dans l'espace. Il tourne 108 mn autour de la Terre dans un engin spatial, le Vostok.

1969. Apollo XI (USA) envoie les premiers hommes sur la Lune. La première marche lunaire des astronautes Edwin Aldrin et Neil Armstrong dure 2½ heures. Ils ramènent sur Terre des échantillons de roche et de sol lunaires pour les étudier.

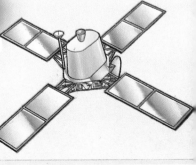

1976. Envoi sur Mars de Viking (USA), une sonde spatiale inhabitée. Elle analyse des échantillons du sol et renvoie des images à la Terre.

A quoi ressemble l'espace?

L'homme n'est pas allé au-delà de la Lune, mais des engins spatiaux inhabités, les **sondes**, ont poussé plus loin l'exploration de l'espace.

Il n'y a pas d'air dans l'espace. C'est ce qu'on appelle le **vide**. Sur Terre, les corps paraissent vides, mais ils contiennent en fait de l'air.

Un vaisseau spatial n'a besoin de ses moteurs que pour changer de vitesse ou de direction, car dans le vide il n'y a pas de résistance de l'air* pour le ralentir.

Une combinaison spatiale protège l'astronaute. De l'eau circule dans des tuyaux afin de maintenir une température constante. La pression* à l'intérieur de la combinaison est la même que sur la Terre.

Les astronautes ont leur propre réserve d'oxygène pour respirer.

Le son a besoin de quelque chose pour pouvoir se propager. L'espace étant un vide, les astronautes se parlent par radio.

Sans atmosphère pour absorber les changements de température, il fait plus chaud que dans un four quand on est face au Soleil et plus froid que dans un congélateur à l'ombre.

Ce ne sont pas les moteurs qui maintiennent un vaisseau spatial sur orbite. Il est en perpétuel mouvement grâce à la pesanteur de la Terre, qui attire autant les astronautes que l'engin spatial. Mais comme il n'y a pas de force pour attirer ceux-ci au vaisseau, ils flottent à l'intérieur et ont l'impression de ne plus rien peser.

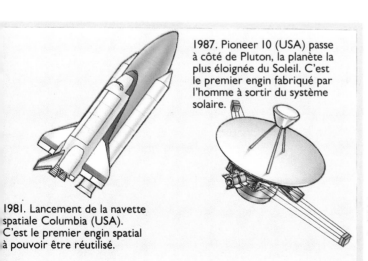

1987. Pioneer 10 (USA) passe à côté de Pluton, la planète la plus éloignée du Soleil. C'est le premier engin fabriqué par l'homme à sortir du système solaire.

1981. Lancement de la navette spatiale Columbia (USA). C'est le premier engin spatial à pouvoir être réutilisé.

L'année-lumière

Notre étoile la plus proche est à $4^1/_2$ années-lumière. Il faut $4^1/_2$ années à sa lumière pour atteindre la Terre.

Les distances sur Terre se mesurent en mètres. Dans l'espace, les distances entre les étoiles sont si grandes qu'on utilise une unité de longueur supérieure, **l'année-lumière**. C'est la distance que parcourt la lumière en une année, environ 10 000 milliards de km.

La lumière et l'ombre

La lumière est une forme d'énergie. Les corps qui diffusent leur propre lumière sont dits lumineux. Le Soleil, les lampes électriques, les bougies et la télévision sont tous des corps lumineux.

Les corps qui n'émettent pas de lumière sont éclairés par les corps lumineux. La source de lumière la plus importante de la Terre est le Soleil. Tout ce qui vit sur notre planète dépend de l'énergie de la lumière solaire.

La lumière est ce qu'il y a de plus rapide dans l'univers.

Les rayons lumineux

La lumière se propage sous forme de lignes droites appelées **rayons.** On les aperçoit lorsqu'on regarde la lumière du Soleil à travers une vitre ou le faisceau d'une torche électrique.

Il faut huit minutes à la lumière solaire pour parcourir les 150 millions de km qui la séparent de la Terre.

La vitesse de la lumière est de 300 000 km/s, ce qui est un million de fois plus rapide qu'un jumbo-jet.

Les ombres

Les corps qui ne laissent pas passer la lumière sont dits **opaques**, ce qui est le cas la plupart du temps. Les ombres se forment de l'autre côté des corps opaques, là où la lumière ne peut pas aller.

Les corps que la lumière peut traverser, comme le verre, sont **transparents**.

Les corps qui ne laissent passer la lumière que faiblement, comme les lunettes teintées sont **translucides**.

Une grande source de lumière projette une ombre foncée au centre et plus claire sur l'extérieur.

La lumière et les ombres

Il y a plusieurs types d'ombres. L'ombre sombre se forme dans la zone que la lumière ne peut pas atteindre. Lorsqu'il passe un peu de lumière, l'ombre est grise, c'est la **pénombre**.

Les ombres varient selon l'importance de la source lumineuse.

Une petite source de lumière projette une ombre très sombre avec des contours bien délimités.

Ombre

Ombre

Pénombre

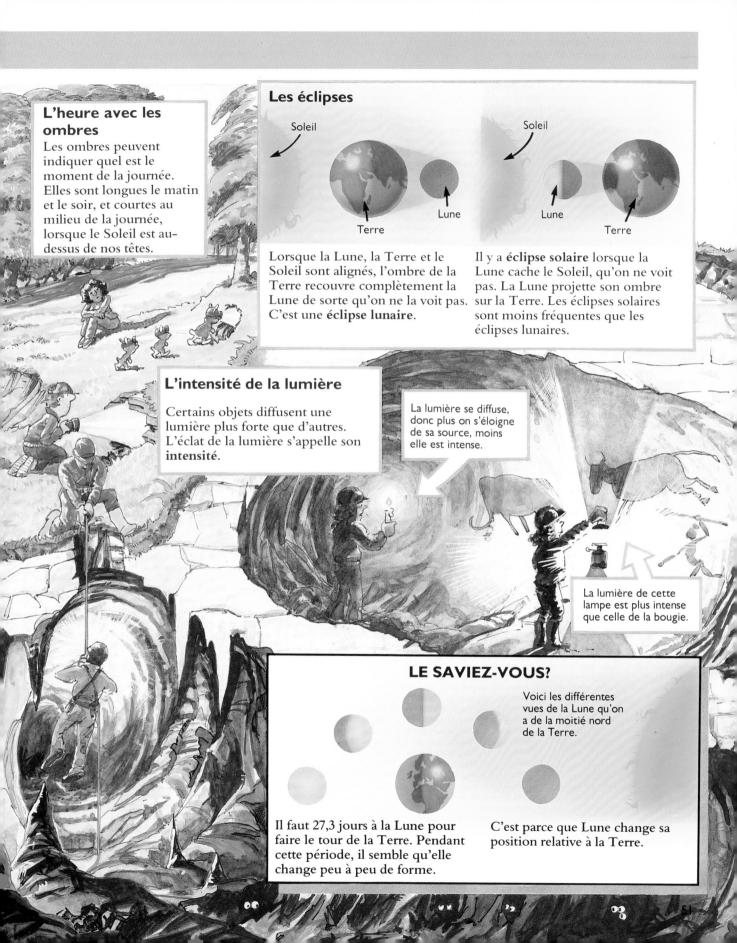

L'heure avec les ombres

Les ombres peuvent indiquer quel est le moment de la journée. Elles sont longues le matin et le soir, et courtes au milieu de la journée, lorsque le Soleil est au-dessus de nos têtes.

Les éclipses

Soleil

Terre

Lune

Soleil

Lune

Terre

Lorsque la Lune, la Terre et le Soleil sont alignés, l'ombre de la Terre recouvre complètement la Lune de sorte qu'on ne la voit pas. C'est une **éclipse lunaire**.

Il y a **éclipse solaire** lorsque la Lune cache le Soleil, qu'on ne voit pas. La Lune projette son ombre sur la Terre. Les éclipses solaires sont moins fréquentes que les éclipses lunaires.

L'intensité de la lumière

Certains objets diffusent une lumière plus forte que d'autres. L'éclat de la lumière s'appelle son **intensité**.

La lumière se diffuse, donc plus on s'éloigne de sa source, moins elle est intense.

La lumière de cette lampe est plus intense que celle de la bougie.

LE SAVIEZ-VOUS?

Voici les différentes vues de la Lune qu'on a de la moitié nord de la Terre.

Il faut 27,3 jours à la Lune pour faire le tour de la Terre. Pendant cette période, il semble qu'elle change peu à peu de forme.

C'est parce que Lune change sa position relative à la Terre.

La lumière rebondit

Une lampe éclaire toute une pièce parce que la lumière qu'elle diffuse rebondit sur ce qui est dans la pièce. De même, la lumière du Soleil rebondit sur tout ce qu'elle rencontre. On y voit clair le jour parce que les minuscules particules de poussière de l'atmosphère renvoient, ou dispersent, la lumière solaire dans toutes les directions. Les corps qui répandent de la lumière, tel le Soleil, sont lumineux. Peu le sont, on ne les voit que parce qu'ils renvoient, ou réfléchissent, la lumière.

Il faut 80 000 années à la lumière de l'étoile la plus distante de notre galaxie* pour atteindre la Terre.

On aperçoit les planètes de notre système solaire uniquement parce qu'elles réfléchissent la lumière du Soleil.

Le Soleil et toutes les autres étoiles sont les seuls corps lumineux de l'espace.

La Lune n'est pas lumineuse, on la voit parce qu'elle réfléchit la lumière du Soleil.

L'espace est sombre parce qu'il est totalement vide. Il n'y a pas d'atmosphère pour disperser la lumière en provenance des étoiles.

Lorsqu'un nuage obscurcit le Soleil, le ciel ne s'assombrit pas complètement parce que l'atmosphère disperse la lumière solaire.

On y voit clair le jour parce que l'atmosphère de la Terre disperse la lumière solaire dans toutes les directions.

Disperser la lumière

On voit comment l'atmosphère disperse la lumière lorsqu'on va au cinéma. On aperçoit le rayon des projecteurs parce que la poussière de l'air refléchit la lumière.

LE SAVIEZ-VOUS?

En 1969, on calcula la distance exacte de la Terre à la Lune à partir du temps que mit la lumière pour effectuer le voyage aller-retour. Des lasers★ sur Terre envoyèrent une lumière qui fut réfléchie par un miroir installé sur la Lune par des astronautes.

La lumière rebondit

La lumière rebondit comme une balle. Si elle frappe une surface directement, elle rebondit tout droit. Si elle touche une surface à un certain angle, elle rebondit au même angle.

Lisse et rugueux

Si la lumière touche une surface lisse, elle est réfléchie entièrement dans une direction. Si elle tombe sur une surface inégale, elle est réfléchie dans plusieurs directions différentes.

Le blanc réfléchit la lumière, donc il se voit mieux que le noir.

Comme pour le rayonnement thermique*, certains corps réfléchissent mieux la lumière que d'autres. Les surfaces blanches réfléchissent davantage de lumière qu'elles n'en absorbent. Les noires en absorbent plus qu'elles n'en réfléchissent.

Le miroir

Le miroir réfléchit la lumière que renvoie une personne.

Un miroir réfléchit la lumière d'autant mieux qu'il est lisse et brillant. L'image reflétée est différente. Si on bouge la main droite, l'image reflétée bouge la main gauche. Une image est réfléchie dans le sens contraire de sa source.

Ecrire dans un miroir

Regardez un mot écrit dans un miroir. Celui-ci tourne toutes les lettres dans le mauvais sens de sorte qu'on n'arrive pas à les lire. On peut remettre la phrase du miroir de l'illustration dans le bon sens si on la regarde dans une glace.

Regarder avec des miroirs

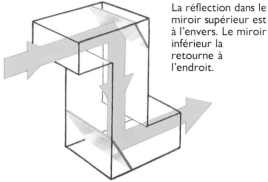

La réflection dans le miroir supérieur est à l'envers. Le miroir inférieur la retourne à l'endroit.

L'équipage d'un sous-marin peut observer la surface en restant sous l'eau grâce à un **périscope**. C'est un long tube muni d'un miroir à chaque extrémité.

Miroirs et images

Des miroirs bombés

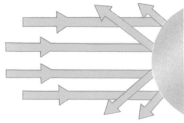

Un miroir qui n'est pas plat donne un aspect différent aux choses. Un miroir bombé est un **miroir convexe**. Les miroirs convexes élargissent le champ de vision. Les portes des voitures ont des miroirs de ce genre pour permettre au conducteur de mieux voir derrière.

Des miroirs creux

Un miroir qui présente une surface creuse est un **miroir concave**. L'image réfléchie dépend de la distance par rapport au miroir.

De près l'image paraît plus grande, elle est **grossie**. De plus loin, elle est petite et à l'envers.

La réflexion de la lumière

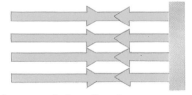

Lorsque la lumière frappe directement un miroir plat, elle rebondit tout droit.

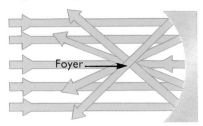

Lorsqu'elle frappe directement un miroir convexe, sa réflexion forme un grand angle.

Foyer ——→

Lorsque la lumière frappe un miroir concave, elle est réfléchie vers l'intérieur et converge en un point appelé **foyer**.

Les téléscopes réflecteurs

Certains téléscopes sont munis de miroirs concaves pour observer les étoiles. Le plus gros du monde se trouve en URSS, au mont Semirodriki. Son miroir de 6 m de diamètre permettrait d'apercevoir la lumière d'une bougie à 24 000 km de distance.

Chauffer avec des miroirs

A Odeillo, en France, on se sert d'un énorme miroir concave pour capter les rayons solaires. Ils rebondissent et se rencontrent au foyer du miroir, où la température est si élevée, environ 4 000 °C, que la chaleur permet de faire fondre les métaux.

Voir au loin

Si vous regardez au bout d'une rue, les gens qui sont loin paraissent beaucoup plus petits que ceux qui sont près. Mais on sait qu'ils ne rapetissent pas à mesure qu'ils s'éloignent.

Donc la taille d'un objet peut permettre de dire à quelle distance il se trouve. Les choses paraissant plus petites lorsqu'elles sont plus loin, la route semble se rétrécir jusqu'à former un point dans le lointain.

Peindre ce qu'on voit

Peinture égyptienne qui remonte à 3500 ans.

Peinture italienne qui remonte à 650 ans.

Les premières peintures donnaient une image plate. Puis on se mit à peindre les choses telles qu'on les voyait.

On peignit les objets éloignés plus petits que ceux qui étaient près. Cette appréciation de la distance s'appelle la **perspective**.

Un bon tour

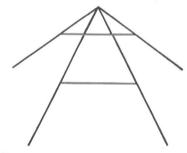

Les yeux peuvent tromper. Les deux lignes rouges sont-elles de la même longueur, ou la plus haute est-elle plus longue? (Réponse page 128.)

Des lumières brillantes

La lumière d'une lampe se disperse, donc elle est moins brillante, ou intense, lorsqu'elle est plus éloignée. Les phares des voitures possèdent des miroirs concaves pour empêcher les rayons de se disperser. Ainsi le faisceau lumineux reste brillant, même au loin.

LE SAVIEZ-VOUS?

Les miroirs permettent de demander de l'aide en cas d'urgence. Par temps clair, on peut apercevoir un rayon de soleil réfléchi par un miroir à 40 km de distance.

La déviation de la lumière

Il y a réfraction à chaque fois que la lumière passe d'un corps transparent à un autre.

Les corps se voient parce que la lumière rebondit sur eux. Si on regarde quelque chose dans l'eau, par exemple une rame, elle a l'air tordue. Cela vient du fait que la lumière est déviée, ou réfractée, lorsqu'elle passe de l'eau à l'air.

Le pêcheur voit le poisson ici.

A cause de la déviation de la lumière, ce qu'on aperçoit dans l'eau est en réalité à un endroit différent. Pour pêcher avec une lance, il faut viser plus bas que là où on voit le poisson.

Faire dévier la lumière

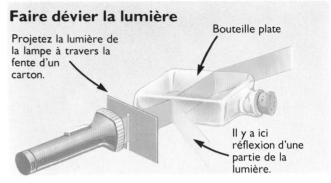

Projetez la lumière de la lampe à travers la fente d'un carton.

Bouteille plate

Il y a ici réflexion d'une partie de la lumière.

Remplissez une bouteille avec de l'eau et quelques gouttes de lait. Dans une pièce sombre, projetez à travers un mince rayon de lumière. Celle-ci est réfractée par l'eau. Lorsqu'elle passe de l'eau à l'air de l'autre côté, elle est déviée dans l'autre sens.

La réfraction fait aussi paraître l'eau moins profonde qu'elle ne l'est.

La lumière est déviée parce qu'elle se propage à différentes vitesses selon les corps qu'elle traverse. Elle traverse l'air plus vite que l'eau, mais l'eau plus vite que le verre.

Réflexion interne

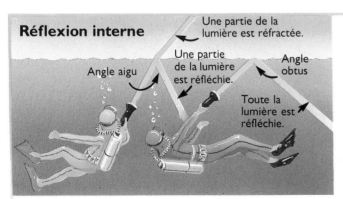

Une partie de la lumière est réfractée.

Une partie de la lumière est réfléchie.

Angle aigu

Angle obtus

Toute la lumière est réfléchie.

Lorsque la lumière passe de l'eau à l'air, une partie traverse la surface et une partie est réfléchie. La quantité de lumière réfléchie dépend de l'angle des rayons lumineux. Lorsque toute la lumière est réfléchie, on parle de **réflexion interne totale.**

"Faire couler" la lumière

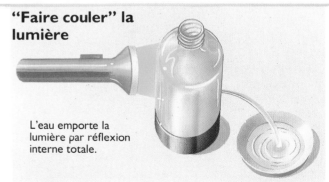

L'eau emporte la lumière par réflexion interne totale.

Faites un trou dans une bouteille en plastique transparent. Mettez le doigt sur le trou et remplissez la bouteille d'eau. Dans une pièce sombre, allumez une torche électrique que vous placerez derrière le trou et faites couler l'eau dans un bol. L'eau emporte la lumière avec elle.

Les lentilles

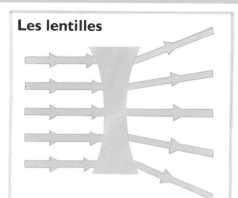

La forme d'une **lentille concave** permet aux rayons lumineux de diverger. Les objets observés à travers une lentille de ce genre paraissent plus petits.

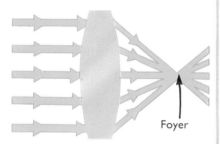

Foyer

La forme d'une **lentille convexe** permet aux rayons lumineux de se rencontrer. Lorsqu'ils frappent la lentille directement, tous les rayons convergent en un point appelé **foyer**.

Former une image

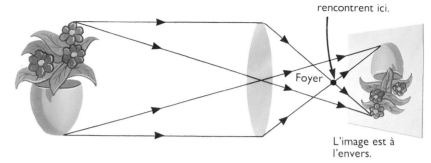

Les rayons lumineux se rencontrent ici.

Foyer

L'image est à l'envers.

On peut se servir d'une lentille convexe pour former l'image d'un objet sur un écran. L'image est nette lorsque l'écran se trouve à l'endroit où tous les rayons lumineux convergent. Pour trouver ce point, déplacez l'écran.

Grossir les objets

Une loupe est une lentille convexe. Si on la tient près d'un objet, elle le grossit.

LE SAVIEZ-VOUS?

Il ne faut jamais laisser une bouteille couchée dehors. Elle peut jouer le rôle d'une lentille et faire converger les rayons du Soleil sur le sol, ce qui risque de provoquer un feu.

Les fibres optiques

Les fibres optiques véhiculent la lumière.

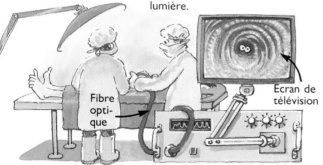

Fibre optique

Ecran de télévision

Tout comme l'eau dans l'expérience précédente, on utilise de minces cylindres de verre pour porter la lumière par réflexion interne totale. Ce sont les **fibres optiques**, qui permettent aux médecins d'observer l'intérieur du corps humain.

Les mirages

Lorsqu'il fait très chaud, on a parfois l'impression d'apercevoir de l'eau au loin. C'est un **mirage**. Il se produit lorsqu'il y a réflexion interne totale de la lumière du ciel sur une couche d'air chaud près du sol.

Voir des images

Comment fonctionne l'oeil?

Les corps qui nous entourent répandent de la lumière ou réfléchissent la lumière qui les touche. On les voit lorsque cette lumière pénètre dans les yeux.

Une lentille convexe dans l'oeil forme une image sur la **rétine**, au fond de l'oeil.

La lumière entre dans l'oeil par un trou appelé **pupille**.

La partie colorée de l'oeil s'appelle l'**iris**.

L'iris contrôle la grosseur de la pupille.

L'image sur la rétine est à l'envers. Le cerveau la retourne pour que les choses soient à l'endroit.

Le cerveau transforme les signaux de la rétine en image visible.

Une couche transparente, la **cornée**, protège l'oeil.

Lorsque la lumière touche les cellules nerveuses de la rétine, celles-ci envoient des signaux le long du nerf optique au cerveau.

Ces muscles modifient la forme de la lentille.

Ces muscles font bouger le globe oculaire.

Pupille

Iris

Lentille convexe

Rétine

Nerf optique

Jour et nuit

L'iris contrôle la quantité de lumière qui pénètre dans l'oeil. Dans le noir, il s'ouvre et la pupille grossit pour laisser entrer davantage de lumière. En plein jour, il se referme. Regardez-vous dans un miroir dans une pièce sombre et allumez la lumière, la pupille change de taille.

Près et loin

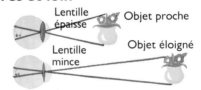

Lentille épaisse — Objet proche

Lentille mince — Objet éloigné

La lentille de l'oeil change de forme selon qu'elle est dirigée sur des objets proches ou éloignés.

Bien voir

Les presbytes distinguent mal les objets rapprochés. Leurs lunettes portent des lentilles convexes. Les myopes ne voient pas bien les objets éloignés. Leurs lunettes portent des lentilles concaves.

Voir avec deux yeux

Les yeux sont à une petite distance l'un de l'autre, ils ont donc chacun une vision différente. Cela permet de distinguer la forme des choses et leur distance. La plupart des animaux prédateurs ont aussi des yeux orientés vers l'avant. Ils évaluent bien les distances, mais ont un champ visuel étroit. Certains animaux ont des yeux latéraux. Leur large champ visuel leur permet de repérer les chasseurs mais ils ne jugent pas bien les distances.

LE SAVIEZ-VOUS?

De tous les animaux les aigles ont la meilleure vue et ils aperçoivent leur proie de très haut dans le ciel. Un aigle peut distinguer un lièvre à 3km de distance.

L'appareil photographique

Un appareil-photo fonctionne comme l'oeil. La lumière traverse un objectif, qui forme une image sur la pellicule au fond de l'appareil.

L'appareil ne doit laisser entrer la lumière que lorsqu'on prend la photo.

Quand on appuie sur le bouton, l'**obturateur** s'ouvre, ce qui envoie la lumière sur la pellicule pour prendre la photo.

L'**ouverture** et l'obturateur contrôlent la quantité de lumière que reçoit la pellicule.

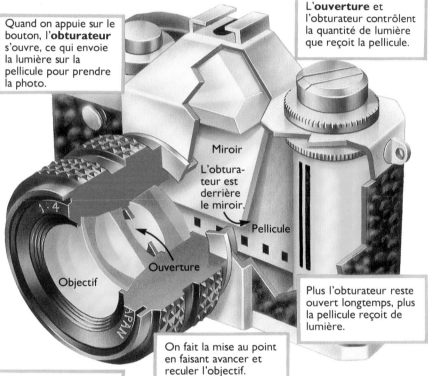

Miroir

L'obtura-teur est derrière le miroir.

Pellicule

Objectif

Ouverture

Plus l'obturateur reste ouvert longtemps, plus la pellicule reçoit de lumière.

On fait la mise au point en faisant avancer et reculer l'objectif.

L'objectif fait la mise au point de l'image sur la pellicule au fond de l'appareil.

L'ouverture est un trou derrière l'objectif. Plus elle est large, plus il pénètre de lumière.

Des vues différentes

Sur certains appareils, on peut changer l'objectif. Un **objectif à grand angle** augmente le champ de vision. Un **téléobjectif** donne un gros plan d'un objet et permet de photographier des objets éloignés.

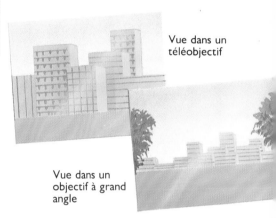

Vue dans un téléobjectif

Vue dans un objectif à grand angle

Des images en mouvement

Un film est composé de plusieurs images. Il semble bouger parce que les images avancent si rapidement qu'on voit la suivante avant même que la dernière se soit effacée devant les yeux.

Comment se forme une photo

Pour prendre une photo, on met au point l'objectif de l'appareil et on détermine la quantité de lumière qui y pénètre. Les appareils automatiques le font à notre place. Les produits chimiques de la pellicule se modifient au contact de la lumière. Lorsqu'on fait développer la pellicule, l'image apparaît dessus, c'est un **négatif**. Sur un négatif, ce qui est foncé paraît clair et ce qui est clair paraît foncé. On projette de la lumière à travers le négatif pour imprimer une image sur un papier spécial. C'est la photo qu'on voit.

La lumière de couleur

Il y a 300 ans, Isaac Newton projeta un rayon de lumière à travers un prisme. Il découvrit que la lumière blanche est composée de couleurs. A l'aide d'un second prisme, il réussit à réunir toutes les couleurs pour obtenir de nouveau la lumière blanche.

Lorsque la lumière traverse un prisme, elle est déviée, ou réfractée★, parce que le prisme la ralentit. La lumière blanche est un mélange de couleurs qui traversent le prisme à différentes vitesses, ce qui varie l'angle de déviation.

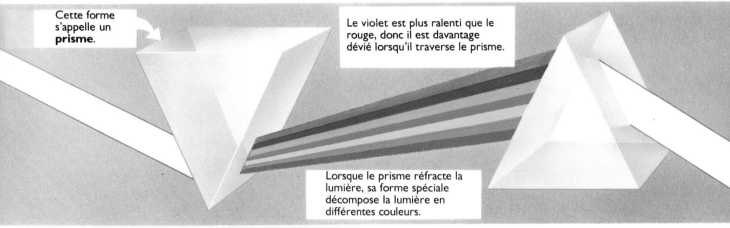

Cette forme s'appelle un **prisme**.

Le violet est plus ralenti que le rouge, donc il est davantage dévié lorsqu'il traverse le prisme.

Lorsque le prisme réfracte la lumière, sa forme spéciale décompose la lumière en différentes couleurs.

L'arc-en-ciel

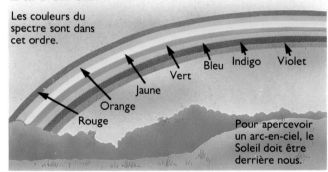

Les couleurs du spectre sont dans cet ordre.

Rouge
Orange
Jaune
Vert
Bleu
Indigo
Violet

Pour apercevoir un arc-en-ciel, le Soleil doit être derrière nous.

Lorsque le Soleil apparaît après une averse, on aperçoit parfois un arc-en-ciel. C'est parce que l'air contient de minuscules gouttes de pluie, qui jouent chacune le rôle d'un petit prisme, décomposant la lumière en ses différentes couleurs. On appelle spectre les couleurs qui composent la lumière blanche.

Décomposer la lumière du Soleil

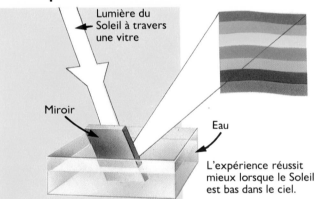

Lumière du Soleil à travers une vitre

Miroir

Eau

L'expérience réussit mieux lorsque le Soleil est bas dans le ciel.

Mettez un miroir en biais dans de l'eau. Réfléchissez la lumière solaire sur un mur. Bougez le miroir jusqu'à l'apparition d'un spectre. L'eau agit comme un prisme, en décomposant la lumière en ses différentes couleurs.

LE SAVIEZ-VOUS?

Le serpent à sonnettes "voit" la chaleur. Il trouve sa proie et l'attrape même dans le noir. Il possède près des yeux des cavités pleines de cellules nerveuses qui captent les rayons infrarouges★.

Les couleurs du diamant

On voit les couleurs du spectre dans un diamant. Il est taillé de façon telle qu'il réfléchit et réfracte la lumière, tout comme un prisme.

Qu'est-ce qui rend les couleurs différentes les unes des autres?

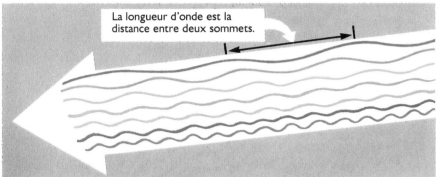

La longueur d'onde est la distance entre deux sommets.

Rayonnement thermique et lumière proviennent du Soleil.

Les rayons lumineux sont composés de minuscules ondes, bien trop petites pour qu'on puisse les voir, et dont la taille se mesure en **longueur d'onde**.

Chaque couleur a une longueur d'onde différente. Celle de la lumière rouge est plus longue que celle de la lumière violette.

Rayonnement thermique★ et lumière sont semblables. Ils se propagent tous deux sous forme d'ondes, mais ils ont des longueurs d'onde différentes.

Pourquoi le ciel est-il coloré?

Soleil

Lumière rouge dispersée

Lumière bleue dispersée

Terre

La lumière solaire est dispersée par l'atmosphère terrestre. Certaines de ses couleurs divergent davantage que d'autres. C'est le bleu que l'atmosphère disperse le plus, donc le jour, le ciel paraît bleu.

Au crépuscule, la lumière solaire traverse davantage d'atmosphère pour nous parvenir, et la lumière bleue est si dispersée qu'on ne la voit jamais. Le ciel est rouge parce qu'on voit la lumière rouge dispersée.

Voir les couleurs

Nos yeux ont des cellules nerveuses spéciales pour voir les couleurs. Elles ne marchent bien que lorsque la lumière est vive. C'est pourquoi les objets paraissent incolores lorsque la lumière est faible.

Certains daltoniens n'arrivent pas à voir ce chiffre.

Les couleurs donnent beaucoup de renseignements. Les daltoniens sont des personnes qui n'arrivent pas à faire la différence entre certaines couleurs.

Les animaux et les couleurs

Tous les animaux ne voient pas les couleurs de la même façon que nous. Une fourmi du désert distingue mieux certaines couleurs que nous, mais un calmar ne les voit pas du tout.

★*Rayonnement thermique, 18.*   61

Mélanger les couleurs

Un filtre bleu laisse passer seulement la lumière bleue.

Un filtre rouge laisse passer seulement la lumière rouge.

La lumière blanche est composée de toutes les couleurs du spectre. On peut la diviser en différentes couleurs avec un filtre de couleur.

Un filtre est un morceau de verre ou de plastique de couleur qui donne de la lumière colorée. Il ne laisse passer qu'une couleur, bloquant toutes les autres.

Les couleurs primaires

Le rouge, le bleu et le vert sont des **couleurs primaires**, qui sont spéciales parce qu'elles permettent de faire de la lumière de n'importe quelle autre couleur. Si on mélange deux des couleurs primaires, on appelle la lumière colorée ainsi obtenue **couleur secondaire**.

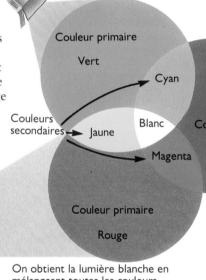

Couleur primaire
Vert

Cyan

Couleurs secondaires →

Jaune

Blanc

Couleur primaire
Bleu

Magenta

Couleur primaire
Rouge

On obtient la lumière blanche en mélangeant toutes les couleurs primaires dans les bonnes proportions.

La télévision en couleur

Toutes les couleurs qu'on voit à la télévision sont un mélange des trois couleurs primaires.

LE SAVIEZ-VOUS?

Chenille du paon-de-nuit pourpre

Grenouille venimeuse d'Amérique du Sud

Les animaux sont souvent de la même couleur que leur environnement. C'est l'art du **camouflage**. Les ours polaires sont blancs car ils vivent dans la neige.

Certains animaux changent de couleur. Cette chenille est verte en été tant qu'elle vit sur les feuilles, mais elle devient brune en hiver lorsqu'elle vit sur les branches.

Des animaux arborent des couleurs vives pour effrayer les autres. Cette grenouille est parmi l'un des animaux les plus venimeux du monde.

Pourquoi les objets paraissent-ils de différentes couleurs?

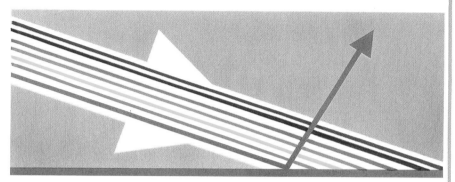

La couleur d'un objet dépend des couleurs de la lumière qu'il reflète. Il paraîtra rouge s'il reflète la lumière rouge et absorbe les autres couleurs, il paraîtra bleu s'il reflète la lumière bleue et absorbe les autres couleurs. Un objet blanc réfléchit toutes les couleurs de la lumière pareillement. Mais un objet noir ne réfléchit aucune lumière, il absorbe toutes les couleurs.

Mélanger les couleurs

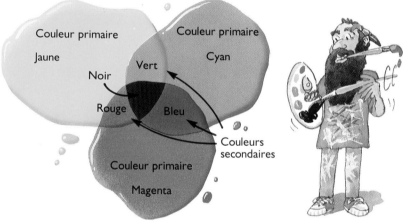

Couleur primaire Jaune
Couleur primaire Cyan
Noir
Vert
Rouge
Bleu
Couleurs secondaires
Couleur primaire Magenta

Les trois couleurs primaires en peinture sont le magenta, le jaune et le cyan. Elles sont différentes des couleurs primaires de la lumière.

En les mélangeant, on obtient presque toutes les couleurs, sauf le blanc. Le mélange des trois couleurs donne le noir.

Les couleurs changent

Vues sous une lumière colorée, les choses paraissent d'une différente

couleur. Une robe rouge paraîtra noire à la lumière bleue ou verte.

Imprimer les couleurs

Toutes les couleurs de ce livre ont été imprimées en se servant uniquement de quatre encres différentes: le jaune, le cyan, le magenta et le noir.

Pour imprimer chaque page, le papier passe quatre fois dans une machine, à chaque fois avec une des encres différentes. C'est ce qu'on appelle la **quadrichromie**.

L'encre noire sert à foncer l'image.

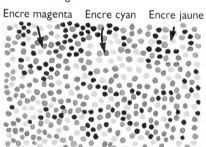

Encre magenta   Encre cyan   Encre jaune

Regardez les images de cette page avec une loupe puissante. Elles sont composées de milliers de points minuscules de différentes couleurs.

Le son

Les sons que l'on perçoit permettent de dire ce qui se passe autour de nous, même si on ne peut pas voir d'où ils proviennent. On entend par exemple le bruit d'un téléphone qui sonne, des voitures qui passent ou de la pluie qui tombe.

Le son est produit par le va-et-vient rapide de quelque chose, c'est une **vibration**. Lorsqu'un corps vibre, il fait aussi vibrer l'air qui l'entoure. Le son perçu est porté par la vibration de l'air.

Le son est une forme d'énergie, mais celle-ci est en général faible. L'énergie sonore de 200 pianos est égale à l'énergie électrique qu'il faut pour allumer seulement une lampe.

Lorsqu'on parle, l'air des poumons fait vibrer les cordes vocales dans la gorge.

Le son d'un violon est produit par la vibration des cordes.

Le son des télévisions et des radios provient des haut-parleurs.

Les signaux électriques font vibrer le haut-parleur.

Sons aigus et graves

Plus les vibrations sont rapides, plus le son produit est aigu. Plus les vibrations sont lentes, plus le son produit est grave. Cette sensation d'aigu ou de grave s'appelle la **hauteur** d'un son. Sa **fréquence** est le nombre de vibrations à la seconde.

La fréquence se mesure en **hertz (Hz).** Les abeilles battent des ailes 200 fois à la seconde, donc le son perçu a une fréquence de 200 hertz. Les moustiques produisent un son plus aigu que les abeilles car ils battent plus vite des ailes, environ 500 battements à la seconde.

On sent vibrer les cordes vocales si on se touche la gorge en parlant.

Hommes et animaux communiquent entre eux par le son.

La vitesse du son

Le tonnerre et l'éclair se produisent en même temps, mais on voit l'éclair avant d'entendre le tonnerre parce que le son se propage beaucoup plus lentement que la lumière.

On peut deviner à quelle distance est un orage. Comptez le nombre de secondes entre le moment où vous voyez l'éclair et celui où vous entendez le tonnerre. Divisez ce chiffre par trois, vous obtenez en kilomètres la distance de l'orage.

La lumière parcourt 300 000 km en une seconde, le son seulement 340 m.

Le Concorde, l'avion de ligne le plus rapide, peut voler deux fois plus vite que le son.

On entend le bruit d'un accident parce que la collision fait vibrer les voitures.

LE SAVIEZ-VOUS?

Certains avions sont des **supersoniques**. Cela signifie qu'ils peuvent aller plus vite que la vitesse du son. On mesure leur vitesse en unités appelées **mach**.

Mach 1 est égal à la vitesse du son. L'avion à réaction le plus rapide du monde est le Lockheed SR–71 (Etats–Unis) qui vole à Mach 3,5.

Le son se propage dans les liquides.

Le son se propage dans les solides.

Le son dans les liquides et les solides

Le son se propage dans l'air, mais également dans les liquides et les solides. C'est pour cela qu'on perçoit les sons à travers les murs et l'eau.

Les sons éloignés

Plus on s'éloigne de la source d'un son, plus il s'affaiblit. C'est pourquoi on peut parfois dire à quelle distance se trouve quelque chose.

La propagation du son

Le son se déplace

Le son se propage en ondes sonores qui se dispersent dans l'air comme les vaguelettes d'une mare dans laquelle on a jeté une pierre.

Lorsqu'une sonnerie vibre, elle tire et pousse l'air qui l'entoure, produisant des couches d'air de pression *différente. C'est une **onde sonore**.

Chaque couche d'air frappe la suivante, portant ainsi le son jusqu'à nos oreilles.

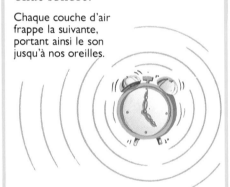

Nos oreilles captent les ondes sonores. Les minuscules variations de la pression de l'air font vibrer le tympan* en même temps que le bruit de la sonnerie.

Les ondes lumineuses* se propagent dans l'espace, mais pas les ondes sonores.

Les ondes sonores ont besoin de quelque chose pour se propager. L'espace est silencieux parce qu'il n'y a pas d'air pour porter le son.

Le son et les gaz

Les ondes sonores se propagent dans les gaz. La plupart des sons que nous entendons ont traversé l'air pour arriver jusqu'à nous, ce à une vitesse de 340 m à la seconde.

Le son se propage un peu plus vite dans l'air chaud et un peu moins vite dans l'air froid.

Le son et les solides

Le son se propage dans les solides. On entend un bruit, même s'il est très loin, en collant son oreille au sol.

Le son se propage mieux dans les solides durs. Il va 15 fois plus vite dans l'acier que dans l'air.

Le son et les liquides

Les ondes sonores se propagent dans les liquides. On entend le bruit de quelqu'un qui éclabousse lorsqu'on nage sous l'eau. Le son se propage toujours mieux dans les liquides que dans les gaz.

Le son se propage environ quatre fois plus vite dans l'eau que dans l'air.

Le son s'étale

Son aigu

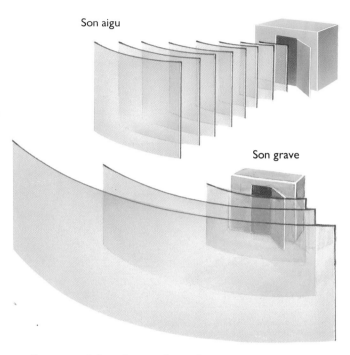

Son grave

On entend dans les angles et les tournants parce que les ondes sonores s'étalent à mesure qu'elles franchissent des espaces ou contournent des obstacles. C'est la **diffraction**. Les sons graves se dispersent davantage que les sons aigus. Donc, de loin, on entend mieux les notes de musique graves que les aiguës.

L'écho

On n'entend les sons séparément que s'ils sont à plus d'un dixième de seconde l'un de l'autre.

Il y a écho lorsque les ondes sonores se heurtent à un obstacle et sont réfléchies de loin jusqu'à nous. Il n'y a pas d'écho dans les petites pièces parce que les murs sont trop rapprochés. Le son est renvoyé trop vite pour qu'on en perçoive l'écho séparément.

LE SAVIEZ-VOUS?

Le son se réfléchit très bien dans la Galerie des Soupirs de la cathédrale Saint Paul à Londres. Si on se tient d'un côté du dôme, on entend quelqu'un murmurer contre le mur opposé, à 36 m de distance.

Les sons sur une scène

Une partie du son est absorbée par les sièges, les rideaux et les gens.

Des réflecteurs envoient les sons de la scène au public.

Scène

La propagation du son dans une pièce dépend de sa forme et de ce qu'elle contient. Les surfaces dures et plates réfléchissent bien les ondes sonores. Les souples et inégales absorbent les sons qui les frappent.

Lorsque les ondes sonores se rencontrent, elles s'unissent parfois pour produire un son plus fort ou elles s'annulent pour produire un son plus étouffé. C'est ce qu'on appelle l'**interférence**.

Les salles de concert sont conçues de façon à éviter interférence et échos, pour que le son passe bien de la scène au public. L'**acoustique** est la manière dont le son se propage dans une pièce.

Entendre les sons

Nos oreilles captent les vibrations produites par les ondes sonores. On perçoit les sons parce que les nerfs des oreilles transforment les vibrations en signaux qui vont au cerveau.

Lorsque les ondes sonores pénètrent dans l'oreille, elles font vibrer une membrane de peau, le **tympan**, en synchronisation avec ce qui a produit le son.

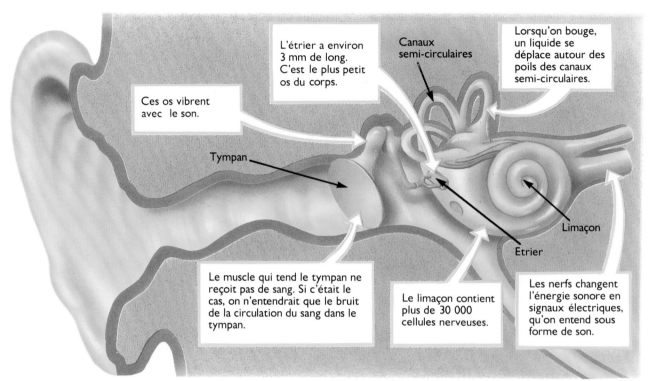

L'étrier a environ 3 mm de long. C'est le plus petit os du corps.

Ces os vibrent avec le son.

Canaux semi-circulaires

Lorsqu'on bouge, un liquide se déplace autour des poils des canaux semi-circulaires.

Tympan

Le muscle qui tend le tympan ne reçoit pas de sang. Si c'était le cas, on n'entendrait que le bruit de la circulation du sang dans le tympan.

Le limaçon contient plus de 30 000 cellules nerveuses.

Les nerfs changent l'énergie sonore en signaux électriques, qu'on entend sous forme de son.

Limaçon

Etrier

Le tympan fait vibrer trois os minuscules, qui fonctionnent comme des petits leviers, en augmentant la puissance de la vibration. Ils sont reliés à un canal qui contient un liquide, le **limaçon**.

L'**étrier** marche comme un piston: il projette le liquide du limaçon d'avant en arrière, en synchronisation avec le son. Les nerfs traduisent les vibrations en signaux électriques qui vont au cerveau.

Les oreilles et l'équilibre

Les canaux semi-circulaires de l'oreille permettent de garder l'équilibre. Lorsqu'on bouge, le liquide qu'ils contiennent appuie sur des petits poils et il y a transmission de signaux nerveux au cerveau. Si on tourne sur soi-même, on a le vertige parce que le liquide continue à bouger après qu'on s'est arrêté.

Jeunes et vieux

Généralement, nous percevons les sons qui vont de 20 Hz, ce qui est un grondement bas, à environ 18 000 Hz, ce qui est un crissement aigu. Ce sont les enfants qui entendent le mieux. Ils perçoivent des sons très aigus, de plus de 20 000 Hz, que les gens plus âgés n'entendent pas.

Trop de bruit

Ecouter des sons forts, surtout pendant longtemps, abîme les oreilles. Les personnes qui travaillent près de machines bruyantes portent un casque pour se protéger les oreilles.

La direction du son

On arrive à savoir d'où provient un son parce qu'on a deux oreilles. Celle qui est la plus proche du son le perçoit un peu plus fort et légèrement avant l'autre.

Sons faibles et sons forts

Certains sons sont plus forts que d'autres. Comme le son se disperse dans toutes les directions, plus on en est éloigné, plus il sera faible.

La force d'un son, son **intensité**, se mesure en unités appelées **décibels (dB)**, d'après A.G. Bell, qui inventa le téléphone.

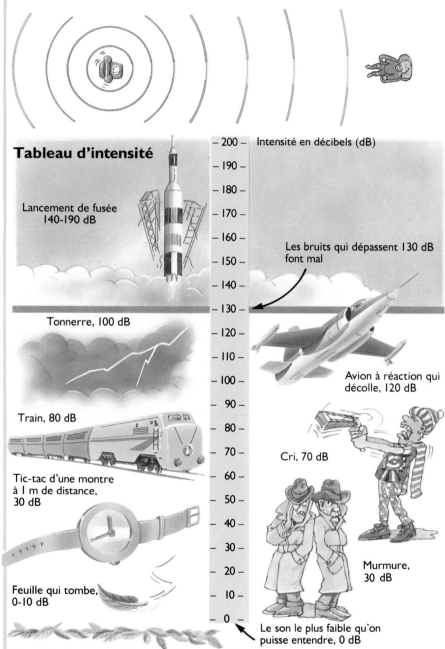

Tableau d'intensité

Intensité en décibels (dB)

Lancement de fusée 140-190 dB

Les bruits qui dépassent 130 dB font mal

Tonnerre, 100 dB

Avion à réaction qui décolle, 120 dB

Train, 80 dB

Cri, 70 dB

Tic-tac d'une montre à 1 m de distance, 30 dB

Murmure, 30 dB

Feuille qui tombe, 0-10 dB

Le son le plus faible qu'on puisse entendre, 0 dB

Les vibrations produites par les sons faibles ne provoquent que de légers changements dans la pression de l'air. On les perçoit uniquement parce que nos oreilles sont très sensibles et arrivent à les capter.

Les sons musicaux

Les instruments musicaux marchent en faisant vibrer quelque chose. Ils produisent des sons aigus ou graves, forts ou faibles.

Aigu et grave

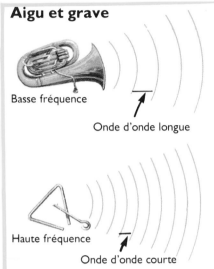

Basse fréquence

Onde d'onde longue

Haute fréquence

Onde d'onde courte

Plus un son est aigu, plus sa fréquence★ est haute. Cela signifie que davantage de vibrations nous parviennent à la seconde. Donc la distance entre chacune, la **longueur d'onde**, est plus courte.

Fort et faible

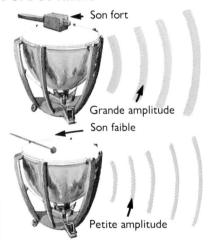

Son fort

Grande amplitude

Son faible

Petite amplitude

Un son fort produit de grandes vibrations. La grosseur de chaque vibration s'appelle son **amplitude**. Plus le son est fort, plus son amplitude est grande.

Comment marchent les instruments

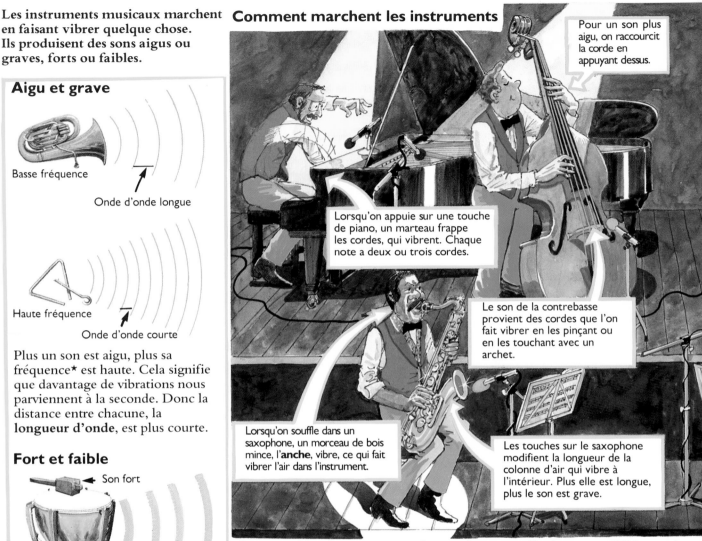

Pour un son plus aigu, on raccourcit la corde en appuyant dessus.

Lorsqu'on appuie sur une touche de piano, un marteau frappe les cordes, qui vibrent. Chaque note a deux ou trois cordes.

Le son de la contrebasse provient des cordes que l'on fait vibrer en les pinçant ou en les touchant avec un archet.

Lorsqu'on souffle dans un saxophone, un morceau de bois mince, l'**anche**, vibre, ce qui fait vibrer l'air dans l'instrument.

Les touches sur le saxophone modifient la longueur de la colonne d'air qui vibre à l'intérieur. Plus elle est longue, plus le son est grave.

Pourquoi les instruments de musique ont-ils des sons différents?

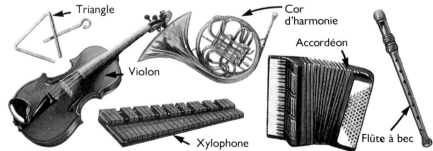

Triangle

Cor d'harmonie

Accordéon

Violon

Xylophone

Flûte à bec

Chaque instrument de musique a son propre son. Chaque note qu'on entend est mélangée à d'autres notes aiguës, les **harmoniques**, mais elles sont trop faibles pour qu'on les perçoive séparément. Les instruments produisent des sons différents parce qu'ils possèdent chacun leurs propres harmoniques.

*Fréquence, 64.

Frapper une grosse caisse et des cymbales avec des baguettes ou des brosses d'acier les fait vibrer.

Le musicien fait vibrer ses lèvres en soufflant, ce qui fait vibrer l'air dans la trompette.

LE SAVIEZ-VOUS?

L'instrument le plus gros et le plus bruyant du monde se trouve à Atlantic City (USA). C'est un orgue de 33 112 tuyaux qui peut faire autant de bruit que 25 orchestres de cuivres.

Vibrer en mesure

On peut jouer du piano sans appuyer sur les touches. Le pied sur la pédale forte, chantez une note. Lorsque vous vous arrêtez, le piano reproduit la même note. Les vibrations de votre voix font vibrer les cordes du piano.

Piano ouvert

La pédale forte est celle de droite.

Appuyer sur la pédale forte libère toutes les cordes du piano, qui vibrent.

Lorsque les vibrations d'une chose en font vibrer une autre, il y a **résonance**. Chaque corde du piano vibre à une fréquence, sa **fréquence naturelle**. La voix fait vibrer la corde à sa fréquence naturelle.

Casser le verre

Si on tape sur un verre, le son perçu provient du verre qui vibre à sa fréquence naturelle. En chantant fort à cette fréquence, un chanteur peut briser un verre. Seul un son à la fréquence naturelle du verre produit des vibrations assez fortes pour que cela arrive.

La résonance amplifie les sons

Caisse de résonance

Les instruments à cordes possèdent une caisse de résonance pour amplifier leur son. La vibration des cordes fait vibrer l'air à l'intérieur de la caisse par résonance.

Des ponts qui s'affaissent

Toute chose a sa fréquence naturelle. En 1940, le pont Tacoma, aux Etats-Unis, s'effondra. Le vent le fit vibrer à sa fréquence naturelle, ce qui provoqua d'énormes vibrations. Les soldats ne traversent pas les ponts au pas car cela pourrait les faire vibrer à leur fréquence naturelle.

Voir avec le son

Les chasseurs nocturnes

Certains animaux s'aident du son pour "voir". La chauve-souris arrive à trouver sa proie dans la nuit et à voler dans le noir sans se heurter à quoi que ce soit. L'utilisation du son pour trouver quelque chose s'appelle l'écholocation.

La chauve-souris pousse des cris très aigus puis elle écoute l'écho qu'elle en reçoit. Plus le laps de temps entre le cri et l'écho est court, plus elle est proche de l'objet.

Pour attraper des insectes en mouvement, la chauve-souris écoute la hauteur* de l'écho, qui change lorsque l'insecte passe près d'elle. C'est ce qu'on appelle l'effet Doppler-Fizeau*.

Certains papillons de nuit arrivent à ne pas se laisser attraper car ils perçoivent les sons aigus qu'émet la chauve-souris.

La chauve-souris entend des sons plus hauts que tous les autres animaux, jusqu'à 210 000 Hz. Un être humain peut percevoir des sons qui vont jusqu'à 20 000 Hz. Un son avec une très haute fréquence s'appelle un **ultrason**.

Les sons dans la mer

Baleines et dauphins se servent de l'écholocation pour se diriger dans la mer. A partir du son de l'écho, ils sont capables de définir quel genre d'objets les entourent.

L'exploration des fonds marins

Les bateaux possèdent un **sonar**, qui leur permet de chercher du poisson, de mesurer la profondeur de l'eau sous leur coque et d'explorer le sol océanique avec l'écho des ultrasons. Un ordinateur peut traduire les échos en image.

Image par ordinateur

Les sons aigus se dispersent (diffraction★) beaucoup moins que les sons graves. C'est pourquoi l'écholocation se sert des ultrasons. Ils sont si aigus qu'ils se dispersent à peine, donc on peut situer très précisément les objets à partir de l'écho qu'ils renvoient.

A la recherche des fissures

Les ultrasons servent à tester le matériel, par exemple les avions. Les échos permettent aux ingénieurs de dire s'il y a des fissures dans le métal.

Des images à ultrasons

Les ultrasons permettent d'observer un bébé dans le ventre de sa mère, c'est l'échographie. Les échos sont transformés en signaux électriques et forment une image.

L'exploration du sol

Tremblements de terre et explosions envoient d'énormes vibrations dans la Terre, les **ondes sismiques**, qui se propagent à différentes vitesses selon les liquides et les types de roche qu'elles traversent.

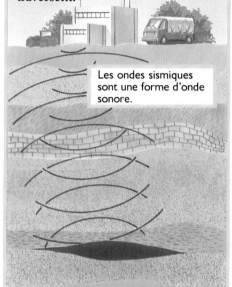

Les ondes sismiques sont une forme d'onde sonore.

En mesurant leur vitesse, les géologues arrivent à en savoir un peu plus sur le centre de la Terre. Les ondes sismiques aident aussi à la recherche du pétrole.

LE SAVIEZ-VOUS?

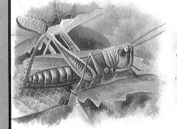 

Tous les animaux n'entendent pas avec les oreilles. La sauterelle "entend" avec les pattes, qu'elle agite dans l'air pour savoir d'où provient un son. Les serpents n'ont pas d'oreilles, donc ils ne perçoivent pas les sons dans l'air. Ils captent les sons graves du sol. Les poissons "entendent" avec leur corps.

Les sons des corps en mouvement

Lorsqu'une voiture de course passe devant nous, la hauteur du son semble changer. A mesure qu'elle s'approche, le son devient plus aigu. Lorsqu'elle s'éloigne, il devient plus grave. C'est l'**effet Doppler-Fizeau.**

Il nous parvient davantage de vibrations à la seconde à mesure que la voiture se rapproche, ce qui augmente l'acuité du son. Lorsque la voiture s'éloigne, on reçoit moins de vibrations à la seconde, ce qui rend le son plus grave.

Tremblements de terre, 22. 73

La composition des corps

Observez le monde qui vous entoure, vous y apercevrez soit des solides, soit des liquides ou encore des gaz. Cette illustration explique quelques-uns des points qui les différencient.

Vous trouverez également dans les pages suivantes des réponses aux questions que vous vous posez peut-être, ainsi que des explications sur la composition des corps et comment ils se modifient.

Les solides ne changent pas de forme et occupent toujours le même espace.

On ne peut pas comprimer un solide pour qu'il tienne moins de place.

Certains solides sont plus durs que d'autres.

Un solide ne bouge pas à moins qu'une force le tire ou le pousse.

Pourquoi les choses brûlent-elles?

Certains solides sont légers par rapport à leur taille, d'autres lourds.

Certains liquides sont plus difficiles à verser que d'autres.

On ne peut pas comprimer les liquides dans un espace plus petit.

Certains solides tels que le sable se divisent en tout petits morceaux.

Les liquides n'ont pas de forme propre, ils prennent la forme de leur contenant.

Les liquides se déplacent et coulent.

Liquides et gaz peuvent couler, on les appelle parfois des **fluides**.

Une **vapeur** est un gaz qui émane d'un liquide. On sent la vapeur d'essence lorsqu'on est à une station-service.

Qu'est-ce qui fait souffler le vent?

D'où vient la pluie?

L'eau peut être un liquide, un solide ou un gaz. Lorsqu'elle gèle, elle se transforme en solide, la glace. Lorsqu'elle bout, elle se transforme en gaz, la vapeur.

Pourquoi le sucre se dissout-il dans le café?

Comment fonctionne un thermomètre?

Pourquoi la glace fond-elle lorsqu'il fait chaud?

Comment les odeurs arrivent-elles jusqu'à nous?

Qu'est-ce qui fait qu'une boisson est gazeuse?

On peut comprimer les gaz dans un espace plus petit.

Pourquoi peut-on se sécher avec une serviette?

Où disparaît une flaque lorsqu'elle sèche?

Les gaz se déplacent et coulent. Ils n'ont pas de forme propre. Ils s'étalent, remplissent leur contenant et prennent sa forme.

L'air est un mélange de plusieurs gaz. La plupart des gaz sont invisibles.

LE SAVIEZ-VOUS?

Le diamant est la substance la plus dure connue au monde. Il est si dur qu'il peut même couper le verre. De nombreuses machines destinées à découper et percer sont équipées de diamants synthétiques.

Les atomes et les molécules

Tout ce qui nous entoure est composé de particules minuscules appelées atomes et molécules, qui sont bien trop petites pour qu'on puisse les voir. Les atomes sont si petits qu'il en rentrerait plus de 100 milliards dans un point.

Imaginez qu'on puisse diviser un grain de sable en morceaux de plus en plus petits. On obtiendrait éventuellement une **particule**, qu'on ne pourrait plus diviser. C'est ce qu'on appelle une **molécule**, le morceau de sable le plus minuscule possible. Tout ce qu'on trouve dans l'univers est composé d'atomes et de molécules différents. Les molécules consistent en deux atomes réunis ou davantage. Elles en contiennent en général quelques-uns, mais certaines sont composées de milliers d'atomes.

Un grain de sable contient 50 millions de milliards de molécules, qui sont composées chacune de trois atomes.

Atome de silicone

Atome d'oxygène

Une molécule d'hydrogène contient deux atomes identiques.

Oxygène

Hydrogène

Une molécule d'oxygène contient deux atomes identiques.

Une molécule d'eau contient trois atomes, deux d'hydrogène et un d'oxygène.

Oxygène

Hydrogène

Qu'y a-t-il à l'intérieur d'un atome?

On connaît environ 105 types d'atomes différents. Tous sont composés de particules encore plus petites, les **protons**, les **neutrons** et les **électrons**.

Les différents atomes contiennent un nombre différent de protons, neutrons et électrons. Cette illustration montre à quoi ressemble l'intérieur d'un atome.

Chaque atome possède un **noyau** qui contient des protons et des neutrons.

Il y a toujours autant de protons que d'électrons dans un atome.

Noyau

Proton

Neutron

Une force très puissante, la **force nucléaire**, maintient ensemble protons et neutrons dans le noyau.

Le noyau contient une énorme quantité d'énergie.

La découverte des atomes

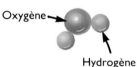

Le mot "atome" vient d'un mot grec qui signifie "qui ne peut pas se diviser".

Il y a 2400 ans les Grecs savaient déjà que les corps sont composés d'atomes. Cette notion tomba dans l'oubli pendant les 2000 années suivantes, jusqu'à ce que l'Anglais Dalton prouve par ses expériences en 1808 l'existence de l'atome.

Pour en savoir davantage sur la force nucléaire, allez à la page suivante.

Des électrons en mouvement

Les électrons gravitent autour du noyau. Une force électrique les maintient dans l'atome. Ils possèdent une **charge électrique**, ce qui veut dire qu'ils transportent de l'électricité. Cette charge est de deux types, la **charge positive** et la **charge négative**.

Les électrons ont une charge négative, les protons une charge positive et les neutrons n'ont pas de charge du tout. Comme le nombre d'électrons et de protons est identique, les charges positives et négatives de l'atome s'équilibrent.

Des électrons minuscules, très légers, gravitent autour du noyau. Un électron pèse 1/2000e d'un proton.

Electron

L'intérieur de l'atome est presque vide, le noyau étant 10 000 fois plus petit que l'atome lui-même.

LE SAVIEZ-VOUS?

Atomes et molécules sont si petits qu'il y a presque autant d'atomes dans un grain de sable qu'il y a de grains de sable sur une plage.

Les molécules bougent

Mettez quelques gouttes d'encre dans un verre d'eau. L'encre finira par s'étaler uniformément dans l'eau. Cela vient du fait que les molécules des liquides sont toujours en mouvement et qu'elles se heurtent les unes aux autres.

De la même façon, les molécules des gaz se déplacent continuellement dans toutes les directions. C'est pour cela qu'on sent des fleurs dans une pièce. Leur odeur arrive jusqu'à nous parce que leurs molécules se dispersent dans l'air.

Lorsqu'il y a dispersion des molécules dans des gaz et des liquides, on parle de **diffusion**. Les molécules des gaz se déplacent plus vite que celles des liquides. Donc l'encre mettra plus de temps à s'étaler dans l'eau que les odeurs à se disperser dans l'air.

L'énergie nucléaire

Lorsqu'un noyau se divise en deux ou lorsque deux noyaux s'unissent pour en former un nouveau, il se dégage une énorme quantité d'énergie, l'**énergie nucléaire**. La division d'un noyau s'appelle la **fission**, la réunion de deux noyaux la **fusion**.

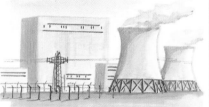

Le dégagement progressif d'énergie nucléaire permet de produire de l'électricité dans les centrales nucléaires. Mais si le processus s'accomplit brusquement, cela provoque une énorme explosion, c'est le principe de la bombe nucléaire.

Les centrales nucléaires utilisent de l'**uranium** comme combustible. L'endroit où se fait la fission des noyaux d'uranium s'appelle un **réacteur**. Il est recouvert de ciment épais pour empêcher la fuite de **radiations nucléaires** mortelles.

Les solides, les liquides et les gaz

Pourquoi peut-on enfoncer son doigt dans la confiture et pas dans l'acier? Pourquoi peut-on verser l'eau et pas de bois? Pourquoi le sel se mélange-t-il à l'eau et

Les solides

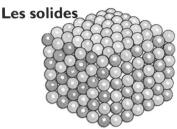

Les atomes des solides sont très rapprochés les uns des autres. Ils vibrent continuellement mais des forces très puissantes les tiennent alignés et ils ne peuvent donc pas changer de position.

Les liquides

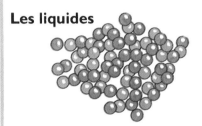

Les molécules des liquides sont rapprochées, mais les forces qui les maintiennent ensemble ne sont pas aussi puissantes que dans les solides. Les molécules peuvent

Les gaz

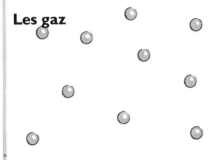

Les molécules des gaz se déplacent continuellement très vite dans tous les sens. Les forces qui les maintiennent ensemble sont faibles, donc les gaz s'étalent et coulent.

disparaît-il alors que le sable reste à part? Qu'est-ce qui fait que les solides, les liquides et les gaz sont différents les uns des autres?

Leurs atomes étant déjà si proches, on ne peut pas comprimer les solides dans un espace plus petit. Ils gardent leur forme parce que leurs atomes sont maintenus ensemble par ces forces.

Les liquides prennent la forme de leur contenant.

bouger et échanger leur place, donc les liquides coulent et changent de forme. Mais on ne peut les comprimer du fait de la proximité de leurs molécules.

Les gaz n'ont pas de forme définie, ils s'étalent pour remplir leur contenant.

Les molécules étant très espacées les unes des autres, on peut facilement comprimer les gaz dans un espace plus petit.

L'attraction des molécules d'eau

Il semble y avoir une peau élastique autour d'une goutte de liquide. Cela est dû à la tension superficielle★. Il se forme des gouttes parce que les molécules liquides sont attirées les unes par les autres.

Les poils d'un pinceau sont collés s'ils sont mouillés, mais pas s'ils sont secs, parce que les molécules d'eau sont attirées les unes vers les autres.

Un liquide s'étale sur une surface si l'attraction des molécules de cette surface est plus puissante que les forces qui maintiennent ensemble les molécules du liquide.

Les forces entre les molécules d'eau les tiennent assemblées en gouttes.

L'eau glisse sur les plumes d'un canard parce qu'elles sont recouvertes d'une couche de graisse qui n'attire pas les molécules d'eau.

Les corps qui absorbent l'eau

Une serviette absorbe l'eau. Celle-ci est aspirée dans de petits espaces entre les fils de la serviette, c'est ce qu'on appelle la **capillarité**. Le plastique n'absorbe pas les liquides parce qu'il ne présente pas de trous.

L'eau monte du sol dans les feuilles de plantes parce que leurs racines ont des tubes minuscules qui aspirent l'eau par capillarité.

La viscosité

Certains liquides tels que l'eau coulent bien et sont faciles à verser. D'autres comme le miel sont plus épais et coulent plus lentement. L'épaisseur d'un fluide s'appelle sa **viscosité**.

Essayez de verser du miel liquide après l'avoir laissé quelques heures dans le réfrigérateur. Plus les fluides sont froids, plus ils s'épaississent, donc plus leur viscosité augmente. S'ils se réchauffent, leur viscosité diminue.

LE SAVIEZ-VOUS?

Le verre n'est pas un solide mais un liquide. On ne le voit pas couler parce qu'il est très visqueux. La partie inférieure des très vieilles fenêtres est plus épaisse parce que le verre a coulé vers le bas pendant des années.

Les solutions

Lorsqu'on ajoute du sucre au café, ils se mélangent pour former une **solution**. Le sucre **se dissout** dans le café.

La substance qui est dissoute, comme le sel, s'appelle un **soluté**. La substance qui dissout, telle l'eau, s'appelle un **solvant**.

Les molécules du sucre s'étalent uniformément dans le café.

Si le café est chaud ou si on le remue, le sucre se dissout plus vite.

On dissout du gaz carbonique dans les boissons pour les rendre gazeuses.

Huile

Vinaigre

L'huile ne se dissout pas dans le vinaigre. C'est pourquoi la vinaigrette se sépare en deux couches.

La mer est une solution de sel dans de l'eau.

Le sel se dissout dans l'eau, mais pas le sable.

Certaines substances ne se dissolvent pas dans d'autres. L'huile et les graisses ne se dissolvent pas dans l'eau. Le nettoyage à sec permet d'enlever les taches d'huile sur les vêtements grâce à l'utilisation d'un autre solvant, un produit chimique, le **tétrachlorure de carbone**. On ne s'en sert que dans les pressings parce qu'il dégage des vapeurs toxiques.

Chauffer et refroidir

Lorsque les corps se réchauffent

Lorsque les corps se réchauffent, ils grossissent légèrement et tiennent plus de place que lorsqu'ils sont froids. C'est la dilatation thermique. En refroidissant, ils reprennent leur taille initiale. C'est la contraction.

Les gaz se dilatent

Mettez une bouteille en plastique ouverte au réfrigérateur. Lorsqu'elle est froide, recouvrez son goulot d'un ballon, puis mettez la bouteille dans un récipient d'eau chaude. Le ballon gonflera tout seul.

Cela vient du fait que l'air **se dilate** en chauffant. Remettez la bouteille au réfrigérateur. Le ballon se dégonfle parce que le volume de l'air diminue, il **se contracte,** en refroidissant.

Les liquides se dilatent

Un thermomètre marche par dilatation thermique. Il contient un liquide dans un tube de verre. Lorsque le thermomètre est chauffé, le liquide monte dans le tube. C'est parce que le liquide se dilate davantage que le verre. Lorsque le thermomètre se refroidit, le liquide redescend.

Les solides se dilatent

Une barrière d'acier de 100 m peut s'allonger de 4 cm par temps chaud.

Les solides aussi se dilatent lorsqu'ils se réchauffent. La partie centrale du pont Humber, en Angleterre, mesure 1 410m de long. En été, elle peut faire un demi-mètre de plus qu'en hiver.

Prévoir la dilatation

L'importance de la dilatation d'un corps dépend de sa taille, de sa composition et de l'échauffement qu'il subit. Les petits objets se dilatent peu, les gros beaucoup.

Les gaz se dilatent 1 000 fois plus que les solides.

Lorsque les corps refroidissent, ils reprennent leur taille initiale.

Les liquides peuvent se dilater de 10 à 100 fois plus que les solides.

Lorsqu'on construit une route, on laisse des espaces dans le ciment pour qu'il ait la place de se dilater par temps chaud.

Pourquoi les corps se dilatent en s'échauffant

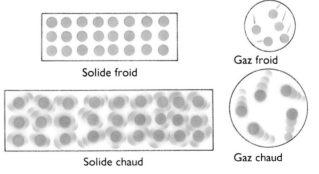

Solide froid

Gaz froid

Solide chaud

Gaz chaud

Atomes et molécules se déplacent et se heurtent continuellement les uns aux autres. Plus ils s'échauffent, plus leur mouvement s'accélère, plus le choc est violent, plus ils prennent de place.

Les gaz se dilatent davantage que les liquides et les liquides davantage que les solides. Plus le changement de température est important, plus la taille se modifie.

On construit les lignes ferroviaires en prévision de leur dilatation par temps chaud.

L'acier se dilate davantage que le bois.

Les fils téléphoniques sont lâches. C'est pour qu'ils ne se cassent pas lorsqu'ils se contractent par temps froid en hiver.

Quelques trucs

Si le couvercle en métal d'un bocal est coincé, passez-le sous le robinet d'eau chaude. Comme le métal se dilate davantage que le verre, le couvercle se relâchera.

Cela ne marche que si la balle n'est pas trouée.

Si une balle de ping-pong a été écrasée, mettez-la dans l'eau chaude. L'air à l'intérieur se dilate et la balle reprend sa forme.

Dilatation et densité

Le poids d'un objet par rapport à sa taille, sa densité★, dépend de la proximité de ses atomes. Lorsqu'un corps se dilate, ses atomes s'éloignent les uns des autres, donc sa densité diminue.

L'air chaud s'élève parce qu'il se dilate, perd de sa densité et donc monte dans l'air froid. La chaleur circule dans les liquides et les gaz de cette façon: c'est la convection★.

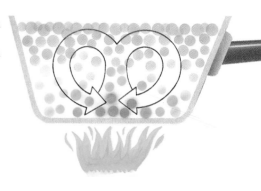

On doit souvent accorder une guitare sur scène parce que les fortes lumières la réchauffent. L'acier se dilate plus que le bois, donc les cordes en acier se relâchent et l'instrument est désaccordé.

La dilatation peut être dangereuse

Ne versez jamais de l'eau bouillante dans un verre. Le verre est un mauvais conducteur de chaleur; l'intérieur s'échauffe et se dilate, alors que l'extérieur reste froid et ne se dilate pas, ce qui brise le verre.

Ne faites jamais chauffer une bombe aérosol et ne la jetez pas non plus au feu. En effet, elle contient des gaz qui, s'ils sont chauffés, se dilateront, provoquant l'explosion de l'aérosol.

Faire bouillir et congeler

Les corps sont soit des solides, soit des liquides ou des gaz, et ils peuvent passer d'une forme à l'autre. Si l'eau gèle, elle se transforme en glace. Si elle bout, elle se transforme en vapeur. Lorsque la glace fond, de solide, elle redevient liquide: l'eau.

Lorsqu'on fait bouillir de l'eau, elle se transforme en gaz, la vapeur. Pour faire passer un solide à l'état liquide puis le liquide à l'état gazeux, il faut le chauffer. Cela lui donne de l'énergie thermique et cette énergie supplémentaire accélère le mouvement des molécules.

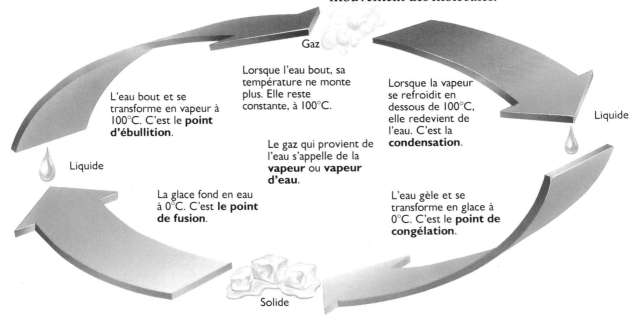

Gaz

Lorsque l'eau bout, sa température ne monte plus. Elle reste constante, à 100°C.

Lorsque la vapeur se refroidit en dessous de 100°C, elle redevient de l'eau. C'est la **condensation**.

L'eau bout et se transforme en vapeur à 100°C. C'est le **point d'ébullition**.

Le gaz qui provient de l'eau s'appelle de la **vapeur** ou **vapeur d'eau**.

Liquide

Liquide

La glace fond en eau à 0°C. C'est **le point de fusion**.

L'eau gèle et se transforme en glace à 0°C. C'est le **point de congélation**.

Solide

Lorsqu'on chauffe un solide, les molécules produisent des vibrations de plus en plus fortes. Elles finissent par ne plus pouvoir être maintenues dans leur position fixe. C'est alors que le solide fond et se transforme en liquide.

Lorsqu'on chauffe un liquide, les molécules se déplacent de plus en plus vite jusqu'à se disperser pour former un gaz. Lorsqu'un liquide est assez chaud, il bout. Il se forme à l'intérieur des bulles de gaz qui montent à la surface.

Pour transformer un gaz en liquide ou un liquide en solide, il faut le refroidir. Cela retire de l'énergie thermique et ralentit les molécules. Pour transformer l'eau en glace, on la refroidit au réfrigérateur pour en retirer l'énergie.

Pourquoi ce qui est mouillé sèche-t-il?

Les liquides s'évaporent et se transforment en vapeur continuellement.

La transpiration qui s'évapore par la peau nous rafraîchit.

Où va l'eau d'une flaque qui sèche? Elle se transforme lentement en vapeur et se disperse dans l'air. C'est l'**évaporation**.

La peau est froide lorsqu'elle est mouillée parce qu'il s'en évapore de l'eau. En se transformant en vapeur, l'eau prend l'énergie thermique de la peau.

Une évaporation plus rapide

L'eau s'évapore plus vite des vêtements mouillés s'il fait chaud, que le vent souffle et si les vêtements ne sont pas serrés, de façon à recevoir davantage d'air.

Les températures d'ébullition et de congélation

Les corps bouent et gèlent à différentes températures. L'eau gèle à 0°C et bout à 100°C. L'acier fond à plus de 1 400°C. L'huile de cuisine bout à plus de 200°C.

Changer les points de fusion et d'ébullition

Les points de fusion et d'ébullition de l'eau changent si on y ajoute du sel. L'eau salée gèle à une température inférieure et bout à une température supérieure à celle de l'eau pure.

Le mercure gèle à −39°C. Dans les endroits très froids, on ne se sert pas de thermomètre à mercure.

L'eau pure gèle à 0°C, mais de l'eau dans laquelle on a mis du sel gèle à −20°C.

En hiver, on recouvre les routes de sel pour empêcher l'eau de geler dessus, ce qui les rendrait verglacées.

Tuyau qui a éclaté.

Les aliments cuisent plus vite dans l'eau salée, qui bout à une température plus élevée que l'eau pure.

En général, les liquides qui gèlent et deviennent des solides prennent moins de place. L'eau est une exception, parce que lorsqu'elle se transforme en glace, elle occupe **plus** de place. C'est pour cela que les canalisations risquent d'éclater en hiver. L'eau à l'intérieur gèle et fend le tuyau.

Lorsqu'un liquide se transforme en gaz, celui-ci prend beaucoup plus de place. C'est ce qui fait marcher une machine à vapeur★. L'eau bout et devient vapeur dans la machine. La vapeur prend plus de place que l'eau et actionne les pistons.

Des boissons fraîches

Les glaçons rafraîchissent une boisson en fondant. Comme tous les solides, la glace a besoin d'énergie thermique pour fondre. Elle la tire du liquide qui l'entoure et refroidit la boisson.

De la buée sur les vitres

Lorsque la vapeur d'eau de la respiration touche une fenêtre froide, elle se transforme en gouttelettes d'eau, couvrant la fenêtre de buée. C'est la **condensation**.

LE SAVIEZ-VOUS?

Au sommet du mont Everest, la pression de l'air est plus basse et l'eau ne bout qu'à 70°C. Plus la pression de l'air est basse, plus le point d'ébullition d'un liquide l'est aussi.

Le temps qu'il fait

D'où vient la pluie? Qu'est-ce que la neige? Pourquoi le temps change-t-il? Qu'est-ce qui fait souffler le vent? Soleil, Terre, air et eau sont à l'origine du temps qu'il fait dans le monde entier.

Pourquoi pleut-il?

La chaleur du Soleil provoque l'évaporation* de l'eau de la terre et des mers et la transforme en vapeur d'eau invisible qui s'élève dans l'atmosphère.

Les millions de gouttelettes se réunissent pour former un nuage.

Les gouttes dans le nuage s'assemblent pour en former des plus grosses. Une fois que celles-ci sont assez lourdes, elles tombent en pluie.

La vapeur d'eau monte dans l'air froid et elle se condense en gouttelettes.

La pluie forme des ruisseaux qui coulent dans les rivières.

L'eau descend les rivières et retourne à la mer. Puis le cycle de l'eau recommence.

Il n'y a jamais formation d'eau nouvelle. Toute l'eau qui tombe en pluie vient des océans, des lacs et de l'humidité à la surface de la Terre.

La même eau est déjà tombée plusieurs fois auparavant sous forme de pluie, de neige ou de grêle. L'eau de la Terre est sans cesse réutilisée, c'est le **cycle de l'eau.**

D'où vient le vent?

C'est le Soleil qui est à l'origine du vent. La Terre est plus chaude à l'Equateur qu'aux pôles parce qu'il est plus près du Soleil.

En s'échauffant, l'air s'élève au-dessus de l'Equateur et en se refroidissant, il retombe sur les pôles. Ceci provoque d'énormes courants de convection* d'air en mouvement autour de la Terre.

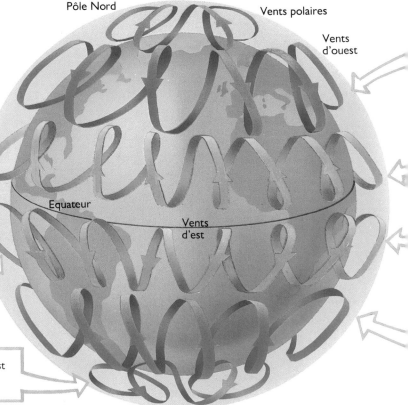

Pôle Nord

Vents polaires

Vents d'ouest

Equateur

Vents d'est

Pôle Sud

L'atmosphère exerce une poussée sur la Terre, qu'on appelle la pression atmosphérique*.

La pression atmosphérique est plus basse là où l'air chaud s'élève, comme à l'Equateur.

La pression atmosphérique est plus haute là où l'air froid retombe, comme aux pôles.

* *Courants de convection, 16; Evaporation, 82; Pression atmosphérique, 41.*

Tous les nuages ne donnent pas de la pluie. Si un nuage va dans de l'air plus chaud, il s'évapore.

Si un nuage se trouve dans de l'air très froid, les gouttelettes d'eau se transforment en cristaux de glace.

Si les cristaux de glace ne fondent pas, ils tombent sous forme de grêlons ou de flocons de neige.

Les cristaux de glace

Les flocons de neige sont composés de minuscules morceaux de glace de forme régulière, les **cristaux de glace**. Il n'y a pas deux flocons identiques. Chacun contient des cristaux de glace de forme et de taille différentes.

Vu que les zones de haute et basse pression atmosphérique se déplacent autour du monde, le temps varie de jour en jour.

Le vent est provoqué par le passage de l'air des zones de haute pression aux zones de basse pression.

Comme la Terre tourne, les vents sont balayés latéralement.

Les trois vents principaux dans les deux hémisphères terrestres sont **les vents d'est, de l'ouest et les vents polaires**.

L'humidité

La quantité de vapeur d'eau dans l'air s'appelle **l'humidité**. L'air chaud peut contenir davantage de vapeur d'eau que l'air froid. Lorsqu'il fait très humide, la peau est moite parce qu'il y a déjà tellement d'eau dans l'air que la sueur n'arrive pas à s'évaporer.

La rosée et la gelée

Après une nuit froide, il y a de la **rosée** dehors. C'est parce que l'air froid nocturne retient moins la vapeur d'eau que l'air chaud, donc celle-ci se condense en gouttes d'eau. Si la température est inférieure à 0°C, la vapeur d'eau se congèle et se transforme en **gel**.

LE SAVIEZ-VOUS?

Le plus gros grêlon fut trouvé au Kansas (Etats-Unis). Il avait 19 cm de diamètre et pesait 758 g, (taille d'un melon).

Les grosses tempêtes

D'énormes tempêtes de tourbillons de vent et de pluie se forment au-dessus des mers près de l'Equateur, où l'air est chaud et humide. On les appelle **ouragans**, **typhons** ou **cyclones**, selon l'endroit où ils se forment.

Une **tornade** est une tempête en forme d'entonnoir d'environ 100 m de large. L'air chaud au centre tourbillonne à plus de 600 km/h et aspire tout sur son passage, causant de terribles dégâts.

Les éléments et les corps composés

Tout ce qui existe dans l'univers est constitué d'atomes. On connaît à ce jour environ 105 types d'atomes différents. Tout ce qui nous entoure est composé de ces atomes combinés de diverses façons.

Les corps qui sont constitués d'une sorte d'atome s'appellent des éléments. Comme il y a 105 sortes d'atomes, il y a 105 éléments différents. Ceux qui sont composés de plusieurs atomes réunis s'appellent des corps composés.

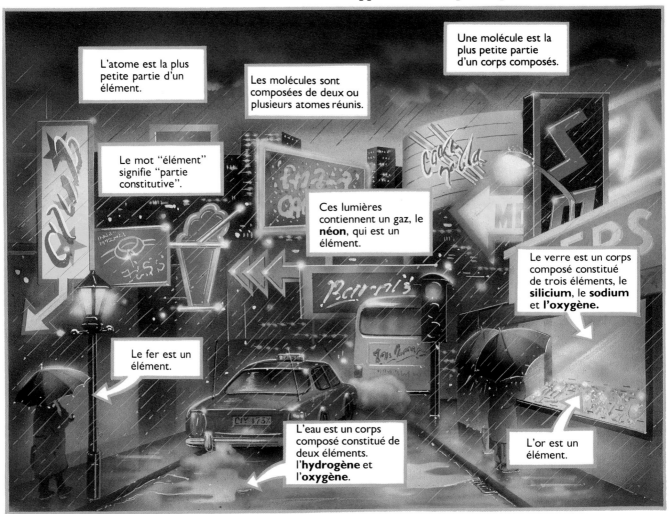

L'atome est la plus petite partie d'un élément.

Les molécules sont composées de deux ou plusieurs atomes réunis.

Une molécule est la plus petite partie d'un corps composés.

Le mot "élément" signifie "partie constitutive".

Ces lumières contiennent un gaz, le **néon**, qui est un élément.

Le verre est un corps composé constitué de trois éléments, le **silicium**, le **sodium** et **l'oxygène**.

Le fer est un élément.

L'eau est un corps composé constitué de deux éléments. l'**hydrogène** et l'**oxygène**.

L'or est un élément.

Les symboles des éléments et des corps composés

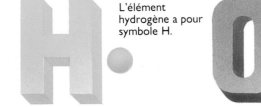

L'élément hydrogène a pour symbole H.

L'élément oxygène a pour symbole O.

Le symbole de l'eau est H_2O.

Chaque élément a un symbole, qui peut être une ou deux lettres. On utilise les mêmes symboles pour les corps composés. Ils indiquent quels éléments contiennent les corps composés. Le chiffre après le symbole indique le nombre d'atomes de chaque élément dans une molécule. L'eau est un corps composé dont les molécules contiennent deux atomes d'hydrogène et un atome d'oxygene. Son symbole est H_2O.

Des éléments . . . aux corps composés

Le Sel est un corps composé appelé **chlorure de sodium.**

Sel

Sodium   Chlore

Les corps composés sont différentes des éléments qui les constituent. Le sel qu'on met sur les aliments est un corps composé de deux éléments, le **sodium** et le **chlore**. Le sodium est un métal brillant et le chlore un gaz verdâtre. Séparément, ces deux éléments sont très dangereux.

Les réactions chimiques

La rouille est un corps composé appelé **hydroxyde de fer.**

Tout ce qui est en fer se rouille si on le laisse exposé à l'air un certain temps. Les atomes du fer s'unissent aux atomes d'oxygène de l'air pour former un nouveau corps composé, la **rouille**. C'est ce qu'on appelle une **réaction chimique**. Il y a formation d'un corps composé à chaque fois que les atomes de différents éléments s'unissent ou **réagissent**.

L'air est un mélange

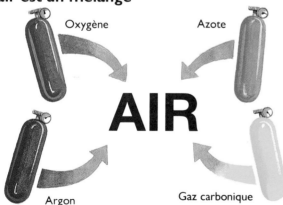

Oxygène   Azote

AIR

Argon   Gaz carbonique

L'air contient plusieurs gaz dont les atomes sont mélangés mais pas unis. On l'appelle donc un **mélange,** et non pas un corps composé. Il contient trois éléments: **l'oxygène**, l'**azote** et l'**argon** et un corps composé, le **gaz carbonique**.

L'alchimie

Pendant des centaines d'années, on crut que tous les corps de la Terre étaient constitués d'**air**, de **feu**, d'**eau** et de **terre**. On pensait que si on les mélangeait en différentes quantités on pourrait transformer un corps en un autre. Les **alchimistes** essayèrent de transformer les métaux ordinaires en or.

La Classification périodique des éléments

En 1869, un chimiste russe, Dimitri Mendeleïev, fit la liste de tous les éléments connus dans sa **Classification périodique des éléments**. Celle-ci regroupe les éléments similaires et indique quels sont ceux qui réagissent ensemble pour former des corps composés.

LE SAVIEZ-VOUS?

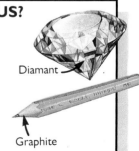

Le diamant et la mine de crayon, qui est de la **graphite**, ont la même origine. Tous deux sont des formes d'un élément, le **carbone**. Leur différence vient de ce que les atomes de carbone qu'ils contiennent ne sont pas assemblés de la même manière.

Diamant

Graphite

Le feu

Si un corps s'échauffe beaucoup, il brûle. Une fois qu'il se met à brûler, il dégage une telle quantité d'énergie qu'il continue à brûler de lui-même.

Brûler des combustibles nous permet de faire cuire les aliments, de nous chauffer et de faire marcher les machines. Mais le feu peut être très dangereux.

Que se passe-t-il lorsque quelque chose brûle?

La combustion est une réaction chimique★. Un corps brûle lorsqu'il devient assez chaud pour qu'il y ait une réaction avec l'oxygène de l'air qui l'entoure.

Comme dans toutes les réactions chimiques, la combustion produit de nouveaux corps composés. La fumée et les cendres sont un mélange de ces corps composés.

Trois conditions sont nécessaires pour qu'il y ait un feu: chaleur, combustible et oxygène. Si on retire l'une d'elles, le feu s'éteint.

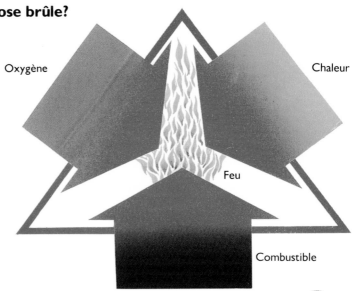

Oxygène

Chaleur

Feu

Combustible

La suie

La suie est une poudre composée des particules d'un élément, le **carbone**, présent dans de nombreuses matières, tels le bois et le charbon. Lorsqu'elles brûlent, le carbone réagit avec l'oxygène, ce qui produit de la fumée. Mais s'il n'y a pas assez d'oxygène pour réagir avec le carbone, il y a production de suie.

Fumées dangereuses

Le feu consume l'oxygène de l'air et dégage de la fumée qui est souvent aussi dangereuse que les flammes. La fumée des matières plastiques, du caoutchouc mousse et de certaines peintures est mortelle, même en petites quantités. C'est pourquoi les pompiers portent des bouteilles d'oxygène et des masques.

Comment se propage le feu

Le feu peut se propager par convection★. Les courants de convection transportent ailleurs chaleur, fumée et matériaux qui brûlent, lesquels peuvent allumer de nouveaux feux.

Le feu peut se propager par rayonnement★. Le rayonnement thermique des flammes chauffe les objets proches du feu. Ils finissent par être si chauds qu'ils s'enflamment.

Le feu peut se propager par conduction★. Bien que le métal ne brûle pas, il peut transmettre la chaleur d'un feu par conduction et enflammer d'autres objets.

★Conduction de la chaleur, 14; Convection, 16; Rayonnement thermique, 18; Réactions chimiques, 87.

Eteindre un feu

Si vous découvrez un incendie, criez "Au feu" pour avertir quelqu'un. Une fois en sécurité, appelez vite les pompiers. N'essayez jamais de maîtriser un feu tout seul.

Si on retire d'un feu le combustible, la chaleur ou l'oxygène, il s'éteindra. Selon les matières qui brûlent, on éteint un feu différemment.

Fermer portes et fenêtres diminue l'apport d'oxygène, ce qui ralentit la propagation du feu.

Arroser d'eau un feu de bois ou de papier en ôte la chaleur. Sans chaleur, le feu s'éteint.

Si les vêtements de quelqu'un prennent feu, roulez la personne sur le sol dans un tapis ou un rideau, cela supprime l'apport d'oxygène.

Mettez un couvercle ou une serviette mouillée sur une casserole d'huile en feu, cela diminue l'apport d'oxygène. Ne versez jamais de l'eau sur de l'huile qui brûle, celle-ci éclaboussera et continuera à brûler car elle flotte sur l'eau.

Si un appareil électrique prend feu, coupez le courant. On peut éteindre le feu avec un extincteur à gaz ou à poudre, mais jamais avec de l'eau car elle est un conducteur d'électricité*.

Les extincteurs

Les extincteurs contiennent de l'eau, de la mousse, de la poudre ou du gaz. Ils permettent d'éteindre différents types de feux.

L'**eau** est utilisée pour la plupart des feux *sauf* pour les liquides qui brûlent et les incendies d'origine électrique.

La **mousse carbonique** sert à éteindre les liquides qui brûlent. On ne doit *jamais* l'utiliser pour les feux d'origine électrique.

On éteint aussi les liquides qui brûlent et les feux d'origine électrique avec de la **poudre**.

Le **gaz carbonique** éteint les liquides qui brûlent et les incendies d'origine électrique.

Un gaz, le **halon**, est également utilisé pour éteindre les feux de liquides et d'origine électrique.

Ne respirez *jamais* la fumée que dégagent les extincteurs contenant du halon ou du gaz carbonique.

Les moteurs et la combustion

La combustion dégage des gaz chauds qui prennent plus de place que ce qu'on brûle. Les moteurs des voitures marchent grâce aux gaz chauds produits par la combustion de carburant.

Lorsque les gaz se dilatent dans le moteur, ils actionnent des pistons*. Les gaz chauds rejetés à l'arrière propulsent en avant les moteurs des fusées et des avions à réaction.

*Électricité, 96; Pistons, 45.

LE SAVIEZ-VOUS?

La voiture de pompiers la plus puissante du monde est le camion Oshkosh, utilisé pour les incendies d'avions. En trois minutes il peut projeter assez de mousse carbonique pour recouvrir un terrain de football.

Les matières

Les corps qui nous entourent sont tous constitués de matières différentes. Certaines proviennent des plantes, des animaux ou des substances qu'on extrait du sol. On les appelle des matières premières.

D'autres sont fabriquées par l'homme dans les usines, ce sont les matières synthétiques. Les savants étudient atomes et molécules afin de mettre au point de nouvelles matières synthétiques.

Les métaux

De nombreux objets sont en métal, ou un mélange de différents métaux appelé **alliage**. On trouve les métaux dans des **minerais** qu'on extrait du sol et qu'on chauffe pour en retirer les métaux.

Le **cuivre** et le **bronze** furent les premiers métaux utilisés par l'homme. De nos jours, on se sert davantage de **fer** et d'**acier**. L'acier est un mélange de fer et d'un peu de carbone.

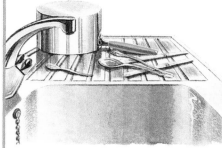

L'**acier inoxydable** est un genre d'acier spécial qui ne rouille* pas. L'**aluminium** est un métal très léger dont on se sert pour fabriquer certaines pièces d'avions.

La céramique

Pendant des milliers d'années, on se servit d'**argile** pour fabriquer pots et cruches. On façonne l'argile pendant qu'elle est humide puis on la fait cuire dans un four pour la durcir. Les matières telles que l'argile s'appellent de la **céramique**.

Les céramiques ont plusieurs usages. La **porcelaine** permet de fabriquer des assiettes et des tasses. On utilise les **briques** et les **tuiles** dans la construction. Même le **verre** est une forme de céramique.

On chauffe la céramique à de hautes températures. De nouvelles céramiques solides entrent maintenant dans la fabrication des pièces de moteurs.

Les fibres

Les tissus sont faits à partir de minces filaments qu'on appelle des **fibres**. Certaines fibres telles que la laine, la soie et le coton sont d'origines animale et végétale. On les appelle des **fibres naturelles**.

De nombreux tissus sont faits avec des fibres synthétiques tels le nylon, la rayonne et le polyester. Il existe une fibre spéciale, le **kevlar** qui est même plus solide que l'acier mais très légère, et qu'on emploie dans certains avions et bateaux.

Les plastiques

La plupart des plastiques sont faits à partir de corps composés* qu'on trouve dans le pétrole brut*. Il existe plusieurs sortes de plastiques qui permettent de fabriquer différentes choses.

Le PVC (chlorure de polyvinyle). Utilisé pour les sièges, les canalisations, les sacs, les gouttières, les imperméables, les tuyaux de jardin et le carrelage.

Le polyéthylène. Utilisé pour les sacs plastiques, les seaux, les bouteilles et l'emballage alimentaire.

Le polyester. Pour la fabrication de tissus tels que le tergal, de la **fibre de verre**, avec laquelle on construit coques de bateaux, carrosseries d'autos et cannes à pêche.

Le nylon. Utilisé pour vêtements, moquettes, filets de pêche, cordes de raquettes de tennis, petites roues d'engrenages et roulements à billes*.

L'acrylique. Utilisé dans la fabrication de fibres pour vêtements et couvertures. Entre aussi dans la fabrication des peintures.

Le polystyrène. Permet de fabriquer de la vaisselle, des emballages jetables et des revêtements pour plafonds.

Le plexiglas est un genre d'acrylique utilisé pour les lunettes de protection, les fenêtres d'avion et les verres de contact.

La résine époxyde. Sert à fabriquer les colles fortes.

De longues molécules

Fibres et plastiques appartiennent tous à un groupe de corps composés appelés **polymères**. Les polymères sont différents des autres composants parce que leurs molécules, très longues, sont formées par la réunion de plusieurs petites molécules.

LE SAVIEZ-VOUS?

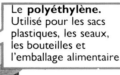

C'est en 1938, aux Etats–Unis, que des savants venus de New–York et de Londres fabriquèrent pour la première fois du nylon. D'où son nom – NY-Lon.

La protection de la nature

On abat les arbres pour se procurer du bois, ce qui détruit des forêts entières qu'on ne pourra jamais remplacer. Ces forêts sont nécessaires à l'équilibre des gaz* et à l'humidité de l'atmosphère.

Les matières premières comme le bois sont dites **biodégradables** parce qu'elles se décomposent lorsqu'on les jette. La plupart des matières synthétiques, tel le plastique, sont cause de pollution parce qu'elles ne se décomposent jamais.

On fabrique à présent des plastiques nouveaux qui sont biodégradables, et qui ne sont pas faits à partir de pétrole brut. Leur production coûte actuellement très cher, mais ils ne polluent pas l'atmosphère.

*Corps composés, 86; Equilibre des gaz, 21; Humidité de l'air, 84; Pétrole brut, 25; Roulement à billes, 31.

L'électricité autour de nous

On regarde la télévision, on allume des lampes et on se sert du téléphone tous les jours. Tout cela, et bien d'autres choses encore, fonctionne grâce à l'électricité. Sans elle, notre monde serait complètement différent. Sur cette illustration sont posées de nombreuses questions concernant les appareils qui fonctionnent grâce à l'électricité. Vous trouverez la réponse dans les pages suivantes.

On n'inventa pas l'électricité. Elle fut d'abord découverte par les Grecs voici 2000 ans. Mais c'est seulement depuis 150 ans qu'on sait produire de l'électricité et s'en servir.

L'électricité est une forme d'énergie qu'on peut transformer en énergies thermique, lumineuse et sonore, ainsi qu'en énergie cinétique pour faire fonctionner les machines.

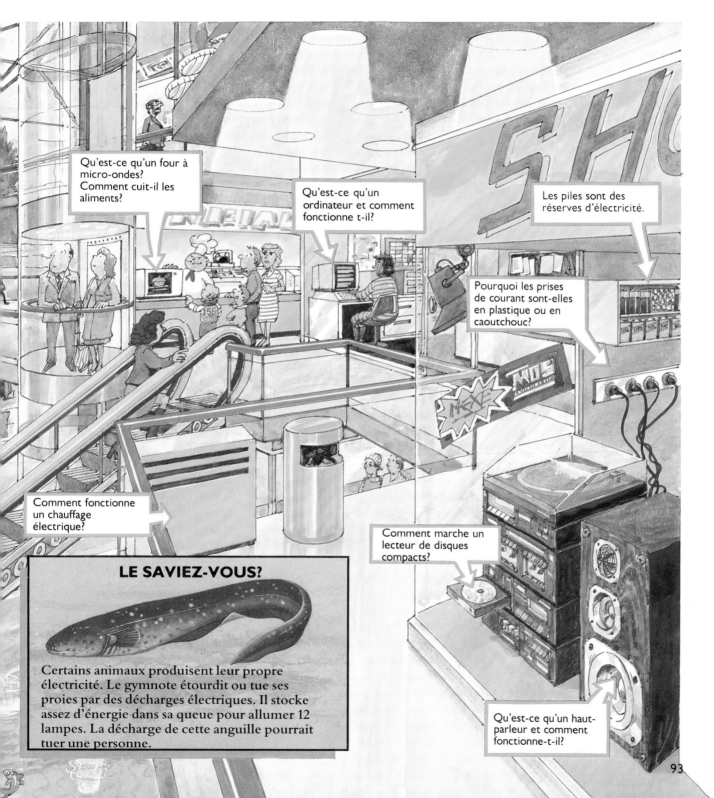

Qu'est-ce qu'un four à micro-ondes? Comment cuit-il les aliments?

Qu'est-ce qu'un ordinateur et comment fonctionne t-il?

Les piles sont des réserves d'électricité.

Pourquoi les prises de courant sont-elles en plastique ou en caoutchouc?

Comment fonctionne un chauffage électrique?

Comment marche un lecteur de disques compacts?

LE SAVIEZ-VOUS?

Certains animaux produisent leur propre électricité. Le gymnote étourdit ou tue ses proies par des décharges électriques. Il stocke assez d'énergie dans sa queue pour allumer 12 lampes. La décharge de cette anguille pourrait tuer une personne.

Qu'est-ce qu'un haut-parleur et comment fonctionne-t-il?

L'électricité circule

Beaucoup d'appareils autour de nous fonctionnent grâce à l'électricité. Certains, comme les lampes de poche, tirent leur électricité de piles.

D'autres, telles les lampes et la télévision, sont branchés et fonctionnent grâce à l'électricité de secteur produite dans les centrales électriques★.

Qu'est-ce que l'électricité?

Les électrons des atomes portent une charge électrique★. Lorsque ces électrons partent tous ensemble dans une direction, ils emportent l'électricité avec eux. Cette électricité en mouvement s'appelle **électricité dynamique**.

Les conducteurs et les isolants

L'électricité circule: certaines matières **conduisent** (laissent passer) l'électricité mieux que d'autres.

On les appelle des **conducteurs**, par opposition à celles qui ne la laissent pas passer, les **isolants**.

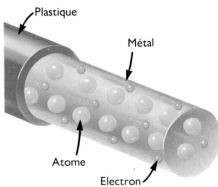

Plastique

Métal

Atome

Electron

Le verre et autres céramiques sont des isolants.

L'air est un isolant.

Le bois est un isolant.

A l'intérieur de ce câble en plastique se trouvent des fils en métal qui transportent l'électricité.

Le caoutchouc est un isolant.

L'eau est un conducteur d'électricité.

Les fiches d'une prise mâle sont en métal pour conduire l'électricité de la prise femelle.

Les prises sont en caoutchouc ou en plastique parce que ce sont des isolants.

Les électrons★ des corps qui conduisent l'électricité, tels les métaux, peuvent bouger, parce qu'ils ne sont pas serrés contre leurs atomes★. Ils peuvent donc véhiculer l'électricité d'un endroit à l'autre.

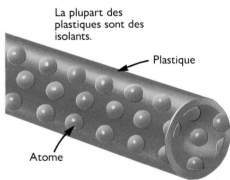

La plupart des plastiques sont des isolants.

Plastique

Atome

Les métaux sont de bons conducteurs. C'est pourquoi on s'en sert pour faire les fils qui véhiculent l'électricité.

La plupart des plastiques sont des isolants. On en recouvre donc les fils de métal pour ne pas prendre de décharge électrique.

Les électrons dans les isolants sont serrés à l'intérieur de leurs atomes. Ils ne peuvent pas bouger. Donc les isolants ne conduisent pas l'électricité.

La quantité d'électricité qui passe dans un fil à la seconde s'appelle un **courant électrique**. Il se mesure en ampères (A).

★*Atomes, 76; Centrales électriques, 102; Charge électrique, 77; Electrons, 77.*

La résistance

Les fils courts et épais ont une résistance plus faible que les longs fils minces.

La résistance se mesure en unités qu'on appelle **ohms (Ω)**.

L'électricité passe mieux à travers certains corps que d'autres. On mesure la capacité de conduction d'électricité d'un corps par sa **résistance**. La résistance d'un fil dépend de sa matière, de sa longueur et de son épaisseur.

Plus la résistance est faible, mieux il conduit l'électricité. On se sert de cuivre pour faire les fils parce que sa résistance plus faible que celle de la plupart des métaux en fait un meilleur conducteur d'électricité.

Les circuits électriques

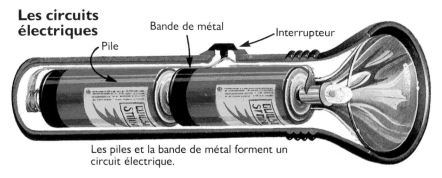

Pile — Bande de métal — Interrupteur

Les piles et la bande de métal forment un circuit électrique.

Un courant électrique ne passe que dans un fil continu. C'est ce qu'on appelle un **circuit**. Le courant ne passe plus s'il y a des coupures dans le circuit.

On peut interrompre ou rétablir le courant électrique avec un **interrupteur**. Lorsqu'on allume, le circuit est relié. Lorsqu'on éteint, le circuit est interrompu.

De l'électricité à la chaleur

Lorsque l'électricité passe, elle provoque l'échauffement des corps. Plus la résistance d'un fil est élevée, plus il s'échauffe lorsque l'électricité le traverse. C'est pourquoi les fils enroulés d'un sèche-cheveux sont incandescents.

De l'électricité à la lumière

Il y a un fil mince dans les lampes. Lorsque l'électricité traverse le fil, celui-ci est chauffé à blanc et diffuse donc de la lumière. Seulement 2% de l'énergie électrique qui va dans une lampe se transforme en lumière. Le reste se transforme en chaleur.

LE SAVIEZ-VOUS?

Les nerfs du corps humain marchent à l'électricité. Des signaux électriques émis par le cerveau font fonctionner les muscles. Ils renvoient au cerveau des renseignements provenant des yeux, des oreilles, du nez, de la langue et de la peau.

Les piles

Une pile contient une réserve d'énergie chimique qui se transforme en énergie électrique lorsque la pile est reliée à un circuit.

Les piles fournissent la force électrique qui envoie les électrons dans le circuit. On l'appelle une **force électromotrice** et elle se mesure en **volts (V)**.

Les différentes formes d'électricité

L'électricité des centrales électriques s'appelle électricité de secteur. Elle est beaucoup plus puissante que celle des piles.

Les disjoncteurs et les fusibles

Certaines choses peuvent s'abîmer si elles reçoivent trop de courant. Les disjoncteurs coupent l'électricité en cas de courant trop fort. Les habitations possèdent des disjoncteurs pour protéger leur installation électrique.

Le disjoncteur le plus commun s'appelle un **fusible**. C'est un morceau de fil spécial qui fond si un courant trop fort le traverse, ce qui interrompt le circuit.

Lorsqu'on branche un appareil et qu'on l'allume, l'électricité de secteur en provenance de la prise femelle va dans l'appareil. Chaque prise possède à l'intérieur un fusible qui coupe le circuit si le courant qui le traverse est trop fort.

Le courant en provenance des piles circule dans les circuits dans une direction. C'est le **courant continu**. L'électricité de secteur est différente. Le courant change de direction plusieurs fois à la seconde. C'est ce qu'on appelle le **courant alternatif**.

Les câbles électriques contiennent deux fils, la **phase** et le **neutre**. Tous deux sont porteurs de courant. Certains câbles ont un troisième fil, la **prise de terre**. Si un circuit est défectueux, la prise de terre emporte l'électricité dans le sol en toute sécurité.

Electricité = Danger

L'électricité de secteur peut être très dangereuse. Ne touchez *jamais* un appareil dans lequel passe de l'électricité sous tension, vous risqueriez de recevoir une décharge mortelle.

Ne vous servez *jamais* d'un appareil dont l'isolation plastique du câble est usée. Si vous touchez celui-ci, vous pourriez recevoir une décharge.

Ne branchez *jamais* trop d'appareils dans une même prise. Il peut y passer trop de courant, ce qui risque de provoquer un feu.

Ne vous servez *jamais* d'un appareil branché sur l'électricité de secteur lorsque vous êtes mouillé. En effet, l'eau est un très bon conducteur d'électricité. C'est pourquoi on ne doit jamais arroser d'eau un feu d'origine électrique★.

L'électricité statique

L'électricité dynamique se propage. Mais il en existe un **autre genre, l'électricité statique, qui reste au même endroit.**

Frottez un ballon sur un pull-over en laine et tenez-le contre un mur. Il y restera collé tout seul. Frottez maintenant deux ballons sur le pull-over et mettez-les l'un à côté de l'autre. Ils s'éloigneront l'un de l'autre sans que vous les touchiez. C'est parce que lorsqu'on frotte les ballons, ils se chargent d'électricité statique.

Les atomes★ contiennent des électrons qui portent une charge négative et des protons qui portent une charge positive. En principe, il y a le même nombre de protons et d'électrons dans un atome, donc les charges négative et positive s'annulent. Mais lorsqu'on frotte le ballon, il prend des électrons à la laine et devient porteur d'une charge électrique.

L'électricité statique autour de nous

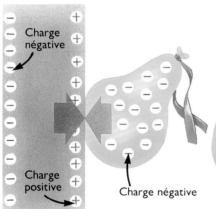

Charge négative

Charge positive

Charge négative

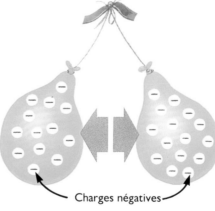

Charges négatives

Les charges négatives supplémentaires du ballon sont attirées par les charges positives du mur, donc le ballon y reste collé. Les charges négatives sont toujours attirées par les charges positives.

Les ballons s'éloignent parce qu'ils ont tous deux des charges négatives en plus. Les charges négatives repoussent toujours les négatives et les charges positives repoussent toujours les positives.

Le frottement des chaussures sur une moquette en nylon provoque l'accumulation d'électricité statique sur nous. Si on touche un objet en métal, on ressent parfois une petite décharge lorsqu'une étincelle passe du corps au métal.

Les aimants et l'électricité

Les aimants servent à plusieurs choses. Si on renverse des épingles par terre, on peut les ramasser avec un aimant qui les attire à lui. Les boussoles, qui permettent de retrouver le chemin, ont un aimant à l'intérieur, ainsi que de nombreux appareils qui fonctionnent à l'électricité. Les aimants permettent de faire tourner les moteurs électriques et de produire de l'électricité dans les générateurs.

L'aimant ramasse les épingles en acier parce que l'acier contient du fer.

Cherchez ce que vous arrivez à ramasser avec un aimant. Vous ne pouvez rien prendre qui contienne du plastique, du bois ou du caoutchouc. Mais ce qui contient du fer, du cobalt et du nickel, des métaux, sera attiré par l'aimant.

Les aimants et les boussoles

Les Grecs se servaient d'aimants il y a 2000 ans. Ils trouvèrent une matière dans le sol, la **magnétite**, qui est magnétique. Ils s'aperçurent que si on laisse tourner librement un aimant, son pôle Nord pointe toujours vers le Nord et son pôle Sud vers le Sud, parce que la Terre a son propre champ magnétique.

Les objets sont attirés par l'aimant s'ils sont dans son champ magnétique. Il n'est pas nécessaire qu'ils le touchent.

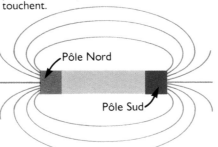

Pôle Nord

Pôle Sud

Les aimants émettent une **force magnétique.** La zone autour de l'aimant où s'exerce la force s'appelle un **champ magnétique**. Elle est la plus puissante aux extrémités de l'aimant, qu'on appelle les **pôles**.

Pôle Sud

Pôle Nord

Pôles Nord

Tenez deux aimants ensemble. Vous sentez qu'ils s'attirent et se repoussent l'un l'autre lorsque vous les tournez. C'est parce que les pôles opposés s'attirent alors que les pôles semblables se repoussent.

Le champ magnétique de la Terre est le plus puissant aux pôles.

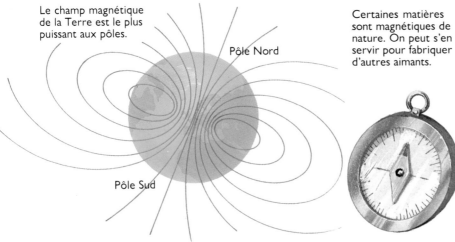

Pôle Nord

Pôle Sud

Certaines matières sont magnétiques de nature. On peut s'en servir pour fabriquer d'autres aimants.

L'aiguille des boussoles est un aimant qui pointe vers le Nord, de sorte qu'on peut dire dans quelle direction on est tourné.

Depuis le 11e siècle, les marins se servent de boussoles pour se diriger en mer, ou **naviguer**.

L'électromagnétisme

Electricité et magnétisme font marcher ensemble de nombreux appareils. C'est ce qu'on appelle l'**électromagnétisme**. L'électricité permet de créer un champ magnétique et le magnétisme de produire de l'électricité. A chaque fois qu'un courant électrique passe dans un fil, il crée un champ magnétique autour du fil. Lorsqu'on coupe le courant, le champ magnétique disparaît.

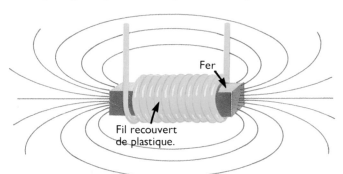

Plus le courant électrique est fort, plus le champ magnétique du fil est puissant. On peut même augmenter sa puissance en enroulant le fil plusieurs fois. Une bobine (un fil enroulé sur quelque chose) qui permet de créer un champ magnétique s'appelle un **électro-aimant**.

Pour cette expérience, prenez une pile. Ne reliez *jamais* quoi que ce soit à l'électricité de secteur.

Prenez du fil recouvert de plastique.

Pour faire un électro-aimant, prenez un fil, une pile et un clou en fer. Enroulez plusieurs fois le fil autour du clou. Reliez chaque extrémité du fil à la pile. A présent, ramassez des épingles avec le clou. Elles tombent si vous débranchez la pile.

Des trains flottants

On utilise les électro-aimants sur certains trains spéciaux à la place de roues. La force électro-magnétique des électro-aimants soutient le train à quelques centimètres au-dessus de la voie et le fait avancer.

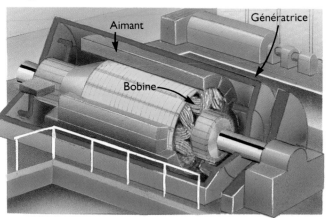

Ces trains ne touchent pas la voie, il n'y a donc pas de friction et ils peuvent aller très vite.

Les moteurs électriques

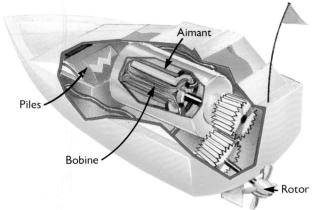

Un **moteur électrique** fonctionne grâce à l'électromagnétisme. Il comporte une bobine prise entre les pôles d'un aimant. Lorsque le courant passe dans la bobine, il y a production d'un champ magnétique, ce qui fait tourner le rotor.

La génératrice d'électricité

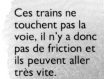

Il y a production de courant électrique dans un fil si on fait bouger ce dernier dans un champ magnétique. C'est le principe d'une **génératrice** ou **dynamo**. Une machine fait tourner une bobine entre les pôles d'un aimant, ce qui produit un courant électrique.

Les disques et les cassettes

Comment marche un tourne-disque? Comment enregistre-t-on le son sur une bande magnétique? Comment fonctionne un haut-parleur? Comment un microphone capte-t-il le son?

L'électromagnétisme est à l'origine du fonctionnement de tous ces systèmes. Il permet d'enregistrer le son sur les disques et les bandes et de le réécouter par l'intermédiaire de haut-parleurs.

Les microphones

Les micros transforment les sons en signaux électriques. Un mince disque dans le micro vibre sous l'impact d'ondes sonores*, ce qui entraîne la vibration d'une bobine.

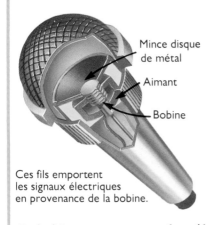

Mince disque de métal

Aimant

Bobine

Ces fils emportent les signaux électriques en provenance de la bobine.

La bobine se trouve entre les pôles d'un aimant*. Sa vibration produit un courant électrique qui circule d'avant en arrière en synchronisation avec le son et qu'un fil porte jusqu'à un amplificateur*.

Comment fonctionne un haut-parleur?

Un haut-parleur fonctionne dans le sens contraire d'un microphone. Il retransforme les signaux électriques en ondes sonores.

Les signaux électriques d'une chaîne hi-fi font vibrer un mince cône en plastique ou en papier, le pavillon, ce qui produit le son qu'on entend.

1. Les signaux électriques passent dans la bobine, ce qui produit une force magnétique*.

2. La force magnétique implique à la bobine un mouvement de va-et-vient contre l'aimant.

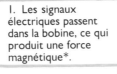

Bobine

Pavillon du haut-parleur

Aimant

3. Les vibrations de la bobine font vibrer le pavillon du haut-parleur, ce qui produit le son.

4. On sent les vibrations qui produisent le son en touchant un haut-parleur.

Comment fonctionne le téléphone?

Lorsqu'on fait un appel téléphonique, un micro transforme le son de la voix en signaux électriques que des câbles portent jusqu'à un **central téléphonique**. Ce dernier envoie les signaux à la personne qu'on appelle. Un petit haut-parleur dans son téléphone retransforme les **signaux** en ondes sonores.

LE SAVIEZ-VOUS?

La première machine qui permit d'enregistrer le son et de l'écouter s'appelait un **phonographe**. C'est Thomas Edison qui l'inventa en 1878. Le son était enregistré sur un cylindre recouvert de papier d'étain.

Mettre un disque

Un disque présente un mince sillon qui va de l'extérieur jusqu'au centre et comporte des millions de petites bosses. Lorsqu'on met un disque, un minuscule cristal, appelé **tête de lecture**, parcourt le sillon.

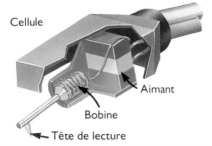

Cellule

Aimant

Bobine

Tête de lecture

La pointe de lecture saute sur les bosses, ce qui fait vibrer une petite bobine à l'intérieur de la **cellule**. La bobine est placée entre les pôles d'un aimant, et sa vibration produit donc des signaux électriques qui passent dans des fils et vont jusqu'à un amplificateur.

Platine
tourne-disque

Platine
à cassettes

Les amplificateurs

Les signaux électriques émis par les platines tourne-disques et à cassettes sont trop faibles pour faire marcher tout seuls les haut-parleurs. Pour intensifier les signaux, on se sert d'un **amplificateur**, qui est relié aux haut-parleurs. Lorsqu'on tourne le bouton du volume, l'amplificateur intensifie les signaux.

Amplificateur

Les magnétophones à cassettes

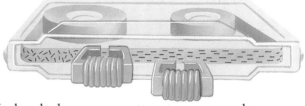

La bande dans une cassette est recouverte de nombreux petits aimants. Pour enregistrer le son sur la bande, des signaux électriques sont envoyés à un électro-aimant, la **tête d'enregistrement**, qui arrange les aimants selon une configuration qui correspond à la musique.

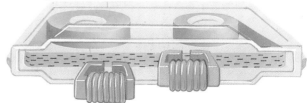

Lorsqu'on met une cassette, la bande se déroule devant la **tête de lecture**, qui capte la configuration sur la bande et la transforme en signaux électriques. Les signaux traversent un amplificateur pour aller jusqu'à des haut-parleurs qui les retransforment en son.

Les magnétoscopes

Un magnétoscope fonctionne selon le même principe qu'un magnétophone à cassettes ordinaire. Une bande d'un côté de la cassette permet d'enregistrer le son, tandis que l'image est enregistrée au centre.

La production d'électricité

De nombreux appareils marchent grâce à l'électricité qui provient des prises femelles. Dès qu'on appuie sur un interrupteur, il y a de la lumière. D'où vient l'électricité et comment arrive-t-elle jusque dans les maisons?

Ce sont les centrales électriques qui produisent l'électricité, le plus souvent par combustion de charbon, de pétrole ou de gaz. Certaines utilisent l'énergie d'origine nucléaire★, hydraulique ou éolienne★.

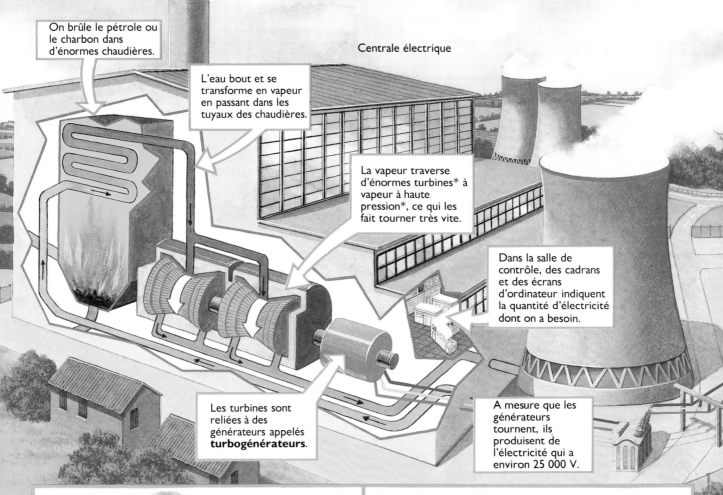

On brûle le pétrole ou le charbon dans d'énormes chaudières.

Centrale électrique

L'eau bout et se transforme en vapeur en passant dans les tuyaux des chaudières.

La vapeur traverse d'énormes turbines★ à vapeur à haute pression★, ce qui les fait tourner très vite.

Dans la salle de contrôle, des cadrans et des écrans d'ordinateur indiquent la quantité d'électricité dont on a besoin.

Les turbines sont reliées à des générateurs appelés **turbogénérateurs**.

A mesure que les générateurs tournent, ils produisent de l'électricité qui a environ 25 000 V.

Les photopiles

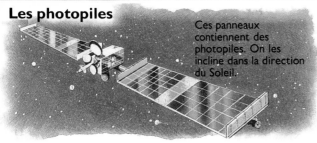

Ces panneaux contiennent des photopiles. On les incline dans la direction du Soleil.

On peut transformer l'énergie lumineuse du Soleil en énergie électrique dans des **photopiles**. Satellites et stations spatiales utilisent de telles batteries pour produire leur électricité. Les photopiles font aussi marcher certaines montres et calculatrices de poche.

La puissance électrique

35 W   100 W   150 W

50 W

50 W   500 W   1 000 W

3 000 W

Certains appareils nécessitent davantage d'électricité pour marcher que d'autres. La quantité d'énergie électrique consommée en un temps donné s'appelle la **puissance**. On la mesure en **watts (W)**.

*Energie hydraulique et éolienne, 26; Energie nucléaire, 25, 77; Pression, 40; Turbines à vapeur, 44.¹4.

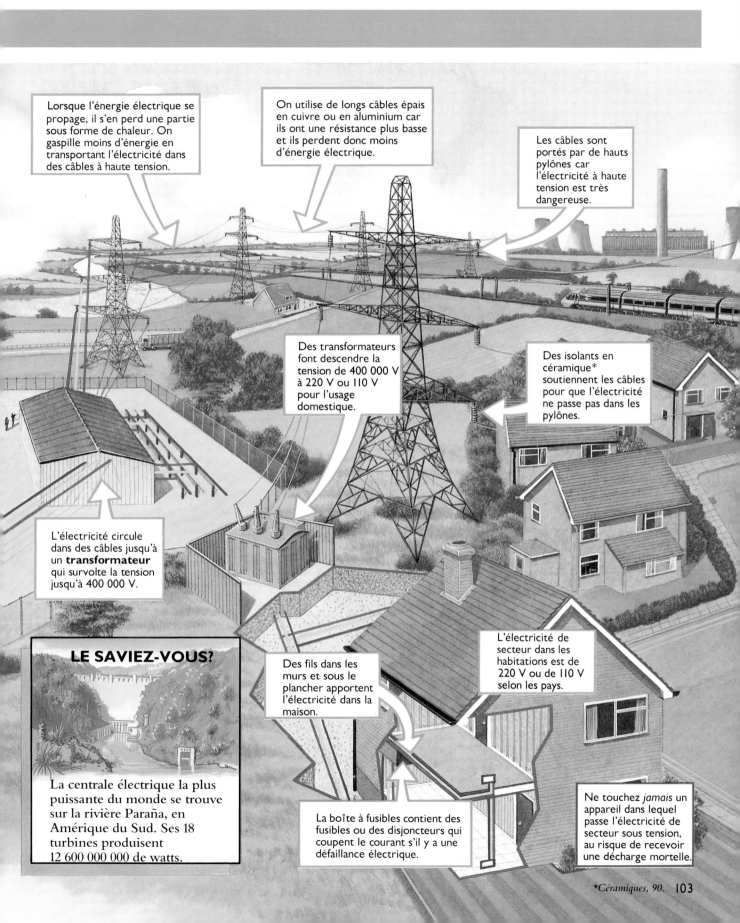

Lorsque l'énergie électrique se propage, il s'en perd une partie sous forme de chaleur. On gaspille moins d'énergie en transportant l'électricité dans des câbles à haute tension.

On utilise de longs câbles épais en cuivre ou en aluminium car ils ont une résistance plus basse et ils perdent donc moins d'énergie électrique.

Les câbles sont portés par de hauts pylônes car l'électricité à haute tension est très dangereuse.

Des transformateurs font descendre la tension de 400 000 V à 220 V ou 110 V pour l'usage domestique.

Des isolants en céramique* soutiennent les câbles pour que l'électricité ne passe pas dans les pylônes.

L'électricité circule dans des câbles jusqu'à un **transformateur** qui survolte la tension jusqu'à 400 000 V.

L'électricité de secteur dans les habitations est de 220 V ou de 110 V selon les pays.

Des fils dans les murs et sous le plancher apportent l'électricité dans la maison.

LE SAVIEZ-VOUS?

La centrale électrique la plus puissante du monde se trouve sur la rivière Paraña, en Amérique du Sud. Ses 18 turbines produisent 12 600 000 000 de watts.

La boîte à fusibles contient des fusibles ou des disjoncteurs qui coupent le courant s'il y a une défaillance électrique.

Ne touchez *jamais* un appareil dans lequel passe l'électricité de secteur sous tension, au risque de recevoir une décharge mortelle.

Le spectre électromagnétique

La lumière est composée d'ondes qu'on appelle ondes électromagnétiques. Outre la lumière, il existe bien d'autres formes d'ondes électromagnétiques, mais elles sont toutes invisibles. Elles forment ensemble le spectre électromagnétique. Toutes les ondes électromagnétiques parcourent 300 000 km à la seconde et elles peuvent traverser un vide. Leur utilisation varie selon leurs longueurs d'onde et leurs fréquences.

Les rayons gamma

Les **rayons gamma** proviennent de la radiation nucléaire★. Ils peuvent traverser différents corps, même le métal. Ces rayons sont très dangereux car ils tuent les cellules vivantes, mais utilisés à petite dose ils permettent de guérir certaines maladies.

Les ondes ultraviolettes

Les **radiations ultraviolettes (UV)** du Soleil nous permettent de bronzer car elles stimulent la production par la peau d'un pigment brun, la **mélanine**.

Il est nocif de recevoir trop de radiations ultraviolettes. Un gaz de l'atmosphère, l'**ozone**, supprime une partie des rayons solaires ultraviolets et on craint que la pollution ne détruise ce gaz.

Longueur d'onde courte
Haute fréquence

Les rayons X

Les **rayons X** permettent d'examiner l'intérieur du corps humain. Ils ne traversent que des substances molles, donc ce qui est dur, comme les os, paraît sous forme d'ombres. Dans les aéroports, on s'en sert pour vérifier les valises des voyageurs.

La lumière visible

La lumière qu'on voit, appelée **lumière visible**, n'est qu'une petite partie du spectre électromagnétique. La lumière visible avec des longueurs d'onde différentes produit différentes couleurs.★

LE SAVIEZ-VOUS?

Les ondes électromagnétiques sont composées de champs★ électriques et magnétiques qui se modifient. La première personne qui comprit le lien entre l'électricité et le magnétisme fut James Clerk Maxwell, en 1864.

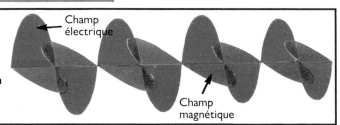

Champ électrique

Champ magnétique

Les radiations infrarouges

Tout corps chaud émet des **radiations infrarouges,** ou **rayonnement thermique.**

Les rayons infrarouges transmettent la chaleur d'un feu à une personne et la chaleur du Soleil à la Terre.

Les ondes radio

Les **ondes radio** permettent de transporter les signaux destinés aux télévisions, aux postes de radio et aux téléphones portatifs.

Vous en apprendrez un peu plus sur les ondes radio à la page suivante.

Longueur d'onde longue

Basse fréquence

Le nombre de sommets qui défilent à la seconde s'appelle la **fréquence** des ondes.

La distance entre deux sommets s'appelle la **longueur d'onde** de l'onde.

Les fours à micro-ondes

Les **micro-ondes** permettent de cuire les aliments dans des fours à micro-ondes en faisant vibrer très vite les molécules qu'ils contiennent, ce qui chauffe la nourriture. Les micro-ondes vont jusqu'au milieu des aliments, qui cuisent donc très vite.

Les micro-ondes sont utilisées aussi pour les appels téléphoniques internationaux. Des signaux micro-ondes sont transmis à des satellites qui les renvoient vers d'autres pays.

Le radar

Tour de contrôle de l'aéroport

Antenne radar

Le **radar** utilise les ondes radio pour déterminer la direction des avions et des bateaux. Un **émetteur radar** envoie un faisceau d'ondes radio qui rebondissent sur les objets durs et sont captées par un **récepteur.** Un écran indique la position et la vitesse de ce qu'on suit.

Les aéroports utilisent le radar pour repérer les avions dans la zone alentour. Les bateaux s'en servent pour éviter les collisions avec d'autres navires et pour trouver leur chemin la nuit.

La radio et la télévision

Les ondes radio sont partout autour de nous, mais on ne les voit pas et on ne les entend pas non plus. Elles sont captées par des postes de radio qui les transforment en ondes sonores et par des télévisions qui les transforment en ondes sonores et lumineuses.

Les sons qu'on entend à la radio ont peut-être parcouru des milliers de kilomètres avant d'arriver jusqu'à nous. Les ondes radio vont à la vitesse de la lumière. C'est pourquoi les gens qui habitent loin les uns des autres peuvent écouter le même programme de radio en même temps.

1. Dans une station de radio, des micros* captent le son et transforment les ondes sonores en signaux électriques.

2. Un **émetteur** transforme les signaux électriques en ondes radio.

3. Une antenne envoie un faisceau d'ondes radio dans l'atmosphère.

4. Une **antenne** émet ou reçoit des ondes radio.

5. L'atmosphère est remplie de signaux de radio en provenance de différents émetteurs.

6. Une antenne de radio capte différents signaux de radio et les transforme en signaux électriques.

9. Les ondes radio sont des ondes électro-magnétiques. Elles sont différentes des ondes sonores.

8. Un haut-parleur transforme les signaux électriques en ondes sonores qu'on entend.

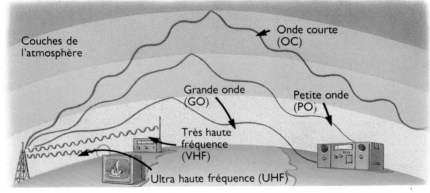

7. En tournant le bouton de réglage, on peut écouter une des stations de radio que reçoit l'antenne.

Les différentes ondes radio

Couches de l'atmosphère

Onde courte (OC)

Grande onde (GO)

Petite onde (PO)

Très haute fréquence (VHF)

Ultra haute fréquence (UHF)

Il existe différents types d'ondes radio. Les ondes courtes, petites et grandes se propagent très loin parce qu'elles rebondissent sur des couches de l'atmosphère, qu'on appelle l'**ionosphère**. Les ondes radio VHF et les ondes UHF qui véhiculent les signaux de télévision se propagent sur de courtes distances parce qu'elles ne peuvent pas rebondir sur l'ionosphère.

La radio pour se parler

Un **émetteur-récepteur** permet d'envoyer et de recevoir des signaux de radio. Beaucoup de gens s'en servent, par exemple les chauffeurs de taxi, la police et les pilotes d'avion.

Certains téléphones, appelés **téléphones portatifs**, marchent grâce aux ondes radio au lieu de fils téléphoniques.

Les ondes radio portent le son et les images jusqu'à la télévision dans les habitations. Un poste de télévision transforme les ondes radio en ondes lumineuses et sonores qu'on voit et qu'on entend.

Comment fonctionne la télévision?

Les caméras de télévision captent la lumière de ce qui est dans le studio. Elles la divisent en couleurs primaires★ puis la transforment en signaux électriques. Ceux-ci sont transformés en ondes radio et diffusés par un émetteur.

1. L'antenne capte les ondes radio et les transforme en signaux électriques.

2. La partie la plus importante d'un poste de télévision est le **tube cathodique**, qui est l'écran qu'on regarde.

5. Des produits chimiques sur la face intérieure de l'écran, les **phosphores**, deviennent luminescents au contact des électrons.

6. Trois sortes de phosphores brillent en rouge, vert et bleu. Toutes les couleurs de l'image de la télévision ont pour origine le mélange de ces trois couleurs.

3. L'image se forme grâce à des faisceaux d'électrons qui balaient l'écran en progressant ligne par ligne. Le processus est si rapide qu'on ne voit pas le faisceau en mouvement.

4. Il y a trois faisceaux d'électrons, un pour chaque couleur primaire, le rouge, le vert et le bleu.

La télévision câblée

Certaines chaînes de télévision sont émises par des signaux électriques qui arrivent jusqu'aux habitations dans un câble spécial. C'est ce qu'on appelle la **télévision câblée**.

LE SAVIEZ-VOUS?

Le Soleil et d'autres étoiles envoient dans l'espace des ondes radio qui sont captées par d'immenses antennes paraboliques, les **radiotélescopes**. Ils permettent aux astronomes d'étudier les lointaines galaxies.

La télévision par satellite

On peut regarder des programmes de télévision du monde entier si on possède un récepteur de satellite. Grâce aux micro-ondes★, des programmes sont diffusés vers un satellite en orbite qui les renvoie ensuite jusqu'aux habitations d'autres pays.

★*Couleurs primaires, 62; Micro-ondes, 105.*

La technologie de l'ordinateur

Les ordinateurs remplissent différentes fonctions. Ils permettent d'envoyer des fusées dans l'espace, de prévoir le temps, de faire marcher des robots, de taper des lettres, de faire des jeux et de composer de la musique.

Les ordinateurs peuvent stocker d'énormes quantités de renseignements qui rempliraient des milliers de pages si on les écrivait sur du papier. En quelques secondes, ils arrivent à retrouver n'importe quelle information ainsi stockée.

Les ordinateurs

En à peine une seconde les ordinateurs effectuent des millions de calculs qui prendraient à quelqu'un des semaines ou même des années. Mais ils sont incapables de penser tout seuls.

Il faut dire à un ordinateur ce qu'il doit faire et lui donner une liste d'instructions, qu'on appelle un **programme d'ordinateur.** Il est écrit en langages spéciaux tels le **BASIC** ou le **LOGO**.

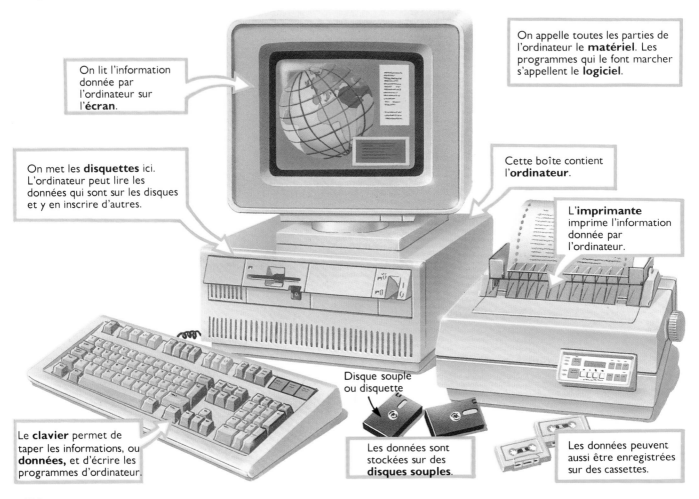

On lit l'information donnée par l'ordinateur sur l'**écran**.

On appelle toutes les parties de l'ordinateur le **matériel**. Les programmes qui le font marcher s'appellent le **logiciel**.

On met les **disquettes** ici. L'ordinateur peut lire les données qui sont sur les disques et y en inscrire d'autres.

Cette boîte contient l'**ordinateur**.

L'**imprimante** imprime l'information donnée par l'ordinateur.

Disque souple ou disquette

Le **clavier** permet de taper les informations, ou **données,** et d'écrire les programmes d'ordinateur.

Les données sont stockées sur des **disques souples**.

Les données peuvent aussi être enregistrées sur des cassettes.

Comment ça fonctionne?

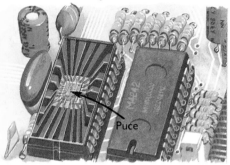

Puce

Les ordinateurs fonctionnent grâce à des **puces électroniques** ou **puces de silicium** qui sont le "cerveau" de la machine. Elles contiennent de nombreux petits **circuits électroniques** capables de stocker des informations et de faire des calculs.

Les données numériques

Les ordinateurs stockent toutes les informations sous forme de chiffres. Il se servent de nombres composés seulement de uns et de zéros pour établir des codes qui représentent des lettres, des nombres, des sons et des images. Les renseignements ainsi emmagasinés prennent le nom de **données numériques**.

Les ordinateurs ne reconnaissent que les nombres composés de uns et de zéros, qu'on appelle nombres binaires*. En effet, leurs puces marchent grâce à de nombreux petits inverseurs (interrupteurs). Le chiffre 1 correspond à "allumé", le 0 à "éteint".

Le laser

Le **laser** émet un mince faisceau de lumière qui ne se disperse pas comme la lumière ordinaire. C'est la lumière la plus brillante qu'on connaisse, elle est même plus brillante que celle du Soleil. Elle a une telle énergie qu'elle peut même découper le métal.

Métal

Rayon laser

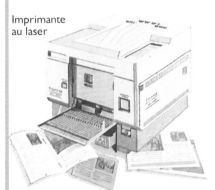

Imprimante au laser

Le laser a plusieurs utilisations. Il permet de transmettre les messages informatiques et les appels téléphoniques dans les fibres optiques*, de contrôler la vue des gens, d'imprimer des journaux, de mesurer les distances avec précision et les chirurgiens l'utilisent pour leurs opérations.

Les lecteurs de disques compacts

Disque compact

On enregistre le son sur un **disque compact** en le transformant en données numériques. Un lecteur de disques compacts contient un laser, dont le rayon lit les données sur le disque de sorte que celles-ci peuvent être retransformées en ondes sonores.

LE SAVIEZ-VOUS?

Les hologrammes sont des photos spéciales en trois dimensions prises avec des rayons laser. Les images qu'elles montrent semblent réelles parce qu'on voit un aspect différent à mesure qu'on en fait le tour.

Savants et inventeurs

Ampère, André 1775-1836
Physicien français qui établit le lien entre l'électricité et le magnétisme. L'unité de courant électrique, l'ampère, porte son nom.

Archimède vers 287-212 av. J.C.
Savant grec qui comprit le premier que la pression varie avec la profondeur des liquides et des gaz. Il développa la théorie des poulies et des leviers mais est surtout connu pour le principe d'Archimède, qui explique la flottabilité des corps.

Aristote 384-322 av. J.C.
Philosophe grec qui est à l'origine de la pensée scientifique moderne. Il croyait que tout est de feu, de terre, d'air et d'eau, que la Terre est au centre de l'univers et que celui-ci est une sphère. Plus tard, ces idées furent réfutées.

Babbage, Charles 1792-1871
Mathématicien anglais qui imagina une machine à calculer mécanique dite analytique. Ses idées sont à l'origine des ordinateurs électroniques.

Baird, John Logie 1888-1946
Inventeur écossais qui fut l'un des pionniers de la télévision et fit, en 1926, sa première transmission d'image. Il fonda le premier studio de télévision en 1929.

Barthélemy, René 1889-1954
Physicien français dont les travaux contribuèrent au progrès de la télévision.

Becquerel, Henri 1852-1908
Physicien français qui découvrit la radioactivité en 1896.

Bell, Alexander Graham 1847-1922
Physicien américain qui inventa, entre autres, le téléphone en 1876 et une oreille artificielle pour les malentendants.

Benz, Carl 1844-1929
Ingénieur allemand qui mit au point le premier véhicule à trois roues équipé d'un moteur à combustion interne.

Bohr, Niels 1885-1962
Physicien danois qui, en 1913, introduisit une nouvelle théorie qui modifia la conception de la structure des atomes.

Boyle, Robert 1627-1691
Physicien et chimiste irlandais qui le premier suggéra que les corps sont composés d'éléments simples, ce qui contredisait les idées d'Aristote. Il fit aussi d'importantes découvertes concernant les gaz.

Braun, Wernher von 1912-1977
Ingénieur allemand qui mit au point la première fusée à grande portée, le missile V2.

Carothers, Wallace 1896-1937
Chimiste américain qui découvrit le nylon, la première fibre polymère synthétique à être largement utilisée.

Chadwick, James 1891-1974
Physicien anglais qui découvrit l'existence du neutron à l'intérieur des atomes.

Cierva, Juan de la 1895-1936
Ingénieur espagnol qui inventa l'autogire, l'ancêtre de l'hélicoptère.

Copernic, Nicolas 1473-1543
Astronome polonais qui élabora la théorie selon lequelle la Terre tourne autour du Soleil. Jusqu'alors, on pensait que c'était le Soleil qui tournait autour de notre planète.

Curie, Marie 1867-1934
et **Pierre** 1859-1906
Savants français qui découvrirent les éléments radioactifs, le radium et le polonium.

Daguerre, Jacques 1787-1851
Peintre français de décors qui découvrit les procédés permettant de développer et de fixer les images de la photographie.

Daimler, Gottlieb 1834-1900
Ingénieur allemand qui mit au point le premier moteur à combustion interne qui marchait à l'essence.

Dalton, John 1766-1844
Chimiste anglais qui élabora la théorie selon laquelle tout corps est constitué d'atomes.

Diesel, Rudolf 1858-1913
Ingénieur allemand qui mit au point un type de moteur à combustion interne, le moteur Diesel.

Dunlop, John 1840-1921
Vétérinaire écossais qui inventa le bandage pneumatique en caoutchouc pour roue de véhicule.

Eastman, George 1854-1932
Industriel américain qui, en 1888, inventa la première pellicule en rouleau souple utilisée dans les appareils Kodak. Jusqu'alors, on prenait les photos sur des plaques en verre séparées.

Edison, Thomas 1847-1931
Savant américain qui mit au point plus de 1 000 inventions, dont la lampe électrique à incandescence et le phonographe, qui fut le premier tourne-disque.

Einstein, Albert 1879-1955
Physicien allemand qui élabora la théorie de la relativité expliquant ce qui se passe lorsque les corps se déplacent à une vitesse proche de celle de la lumière. Il démontra aussi que la masse pouvait se transformer en énergie, ce qui conduisit à la découverte de l'énergie nucléaire.

Faraday, Michael 1791-1867
Savant anglais qui inventa le moteur électrique, la dynamo et le transformateur. Il fut le premier à découvrir de nombreux composants qui contenaient du carbone et du chlore.

Fermat, Pierre de 1601-1665
Mathématicien français qui élabora la théorie moderne des nombres.

Fermi, Enrico 1901-1954
Physicien italien qui conçut et construisit le premier réacteur nucléaire.

Fleming, Alexander 1881-1955
Savant écossais qui découvrit la pénicilline.

Franklin, Benjamin 1706-1790
Homme politique et savant américain. Il inventa le paratonnerre, appareil qui protège les bâtiments en éloignant la foudre dans le sol.

Gabor, Dennis 1900-1979
Physicien hongrois qui inventa l'holographie en 1948.

Galilée, Galileo 1564-1642
Savant italien qui découvrit les lois du mouvement pendulaire et démontra l'effet de la pesanteur sur la chute des corps. Il fut l'un des premiers à étudier le système solaire avec un télescope et fit de nombreuses découvertes, dont les satellites de Jupiter. Il inventa aussi le thermomètre.

Goddard, Robert 1882-1945
Physicien américain qui fut l'un des pionniers de la conception des fusées spatiales. Il lança la première fusée à propergol liquide en 1926.

Gutenberg, Johannes 1400-1468
Imprimeur allemand qui inventa la presse à imprimer.

Héron l'Ancien ler s. apr. J.C.
Ingénieur et mathématicien grec qui expliqua le fonctionnement des siphons, des pompes et des fontaines. Il fut aussi l'inventeur de l'ancêtre de la machine à vapeur, une sphère en métal qui tournait.

Hertz, Heinrich 1857-1894
Physicien allemand qui découvrit les ondes électromagnétiques et fonda les principes de la transmission radio. En 1888, il démontra le premier que ces ondes vont à la vitesse de la lumière et qu'elles peuvent être réfléchies et réfractées.

Huygens, Christiaan 1629-1695
Physicien, astronome et mathématicien hollandais. Il construisit la première pendule à balancier, améliora le télescope, découvrit les anneaux de Saturne et fut le premier à suggérer que la lumière est composée d'ondes.

Joule, James 1818-1889
Savant anglais qui étudia la chaleur et l'énergie. Avec W. Thomson, il élabora la loi de la conservation de l'énergie, selon laquelle la quantité d'énergie dégagée est proportionnelle à la quantité d'énergie fournie. Le joule, unité d'énergie, a pris son nom.

Kepler, Johannes 1571-1630
Astronome allemand qui définit le mouvement des planètes dans le système solaire. Il fut le premier à suggérer qu'elles se déplacent en orbites ovales plutôt que circulaires.

Laennec, René 1781-1826
Médecin français qui inventa le stéthoscope. Il est aussi le fondateur de la médecine anatomo-clinique qui compare les symptômes des maladies aux lésions qu'elles provoquent dans l'organisme.

Laplace, Pierre Simon, marquis de 1749-1827
Astronome, mathématicien et physicien français, célèbre pour son *équation*. Il fit de nombreux travaux dans ces trois domaines (calcul des probabilités, lois de l'électromagnétisme, théorie sur le système solaire).

Lavoisier, Antoine 1743-1794
Chimiste français qui découvrit le rôle de l'oxygène dans la respiration et la combustion. Il établit aussi une nouvelle nomenclature chimique. Ses travaux en font le créateur de la chimie moderne.

Leclanché, Georges 1839-1882
Inventeur français de la première pile sèche, dont on se sert dans les postes de radio et les lampes de poche.

Lenoir, Etienne 1822-1900
Ingénieur belge qui fit breveter en 1860 la première réalisation pratique du moteur à explosion.

Lilienthal, Otto 1848-1896
Ingénieur allemand qui conçut et construisit le planeur. Il fut l'un des pionniers de la navigation aérienne.

Lippershey, Hans v. 1570-1619
Opticien hollandais qui inventa le télescope.

Lumière, Auguste 1862-1954 et **Louis** 1864-1948
Inventeurs français qui mirent au point le cinématographe et le premier procédé commercial de photographie en couleurs. Ils projetèrent le premier film en public dans un cinéma à Paris en 1895.

Mach, Ernst 1838-1916
Physicien autrichien qui définit les "nombres de Mach", la vitesse d'un corps comparée à celle du son dans l'air.

Marconi, Guglielmo 1874-1937
Inventeur italien qui mit au point les premiers émetteurs et récepteurs. En 1901, il réussit la première liaison radio Cornouailles-Terre-Neuve, au-dessus de l'Atlantique.

Maxwell, James Clerk 1831-1879
Savant écossais dont la théorie sur le rayonnement électromagnétique fut à l'origine de la découverte des ondes radio. Il comprit le premier que la lumière est une sorte de rayonnement électromagnétique.

Mendel, Gregori 1822-1884
Homme religieux autrichien, fondateur de la génétique, science qui explique comment les caractères des parents sont transmis à leurs enfants.

Mendeleïev, Dimitri 1834-1907
Chimiste russe qui établit la Classification périodique des éléments en 1869, qui est à l'origine de la chimie moderne.

Montgolfier, Joseph 1740-1810 et **Etienne** 1745-1799
Industriels français qui inventèrent l'aérostat, ballon à air chaud. La première ascension eut lieu en 1783.

Morse, Samuel 1791-1872
Inventeur américain qui mit au point le télégraphe électrique en 1832 et inventa l'alphabet Morse.

Newcomen, Thomas 1663-1729
Mécanicien anglais dont la *machine à feu*, mise en service en 1712, est à l'origine de la machine à vapeur.

Newton, Isaac 1642-1727
Savant anglais qui élabora les lois du mouvement, la théorie de la gravitation et de nombreuses théories mathématiques nouvelles. Il découvrit que la lumière blanche est composée de toutes les couleurs du spectre et inventa le télescope à réflexion. On le considère comme l'un des penseurs les plus originaux de tous les temps. Le newton, unité de force, a pris son nom.

Nipkow, Paul 1860-1940
Inventeur allemand qui fut l'un des pionniers de la télévision.

Nobel, Alfred 1833-1896
Chimiste suédois qui découvrit la dynamite. Il créa les prix Nobel, qui récompensent les bienfaiteurs de l'humanité en physique, chimie, médecine, littérature et pour la paix mondiale.

Oersted, Christian 1777-1851
Physicien danois qui découvrit qu'un courant électrique crée un champ magnétique. Il fut l'un des premiers à comprendre l'électromagnétisme.

Otto, Nikolaus 1832-1891
Ingénieur allemand qui construisit le premier moteur à combustion interne à quatre temps.

Papin, Denis 1647-1714
Inventeur français qui constata le premier la force élastique de la vapeur d'eau. Il réalisa sa 'marmite' avec sa soupape de sécurité, établit le principe d'une machine à vapeur à piston (1687) et construisit un bateau à vapeur.

Paré, Ambroise 1509-1590
Chirurgien français qui eut le premier l'idée de ligaturer une artère pour arrêter une hémorragie après une amputation au lieu de la cautériser. Il est considéré comme le père de la chirurgie moderne.

Pascal, Blaise 1623-1662
Savant et écrivain français qui inventa une machine arithmétique, ancêtre de la machine à calculer. Il formula de nombreuses théories mathématiques, dont le calcul des probabilités. Ses *Pensées* sont célèbres.

Pasteur, Louis 1822-1895
Chimiste et biologiste français, fondateur de la microbiologie. Il mit au point une méthode de conservation des liquides fermentescibles (vin, bière, etc.) ou pasteurisation. Il découvrit le principe de la vaccination préventive par inoculation de microbes, dont celui de la rage (1885). En 1888, il créa l'Institut Pasteur.

Pénaud, Alphonse 1850-1880
Inventeur français qui fut un précurseur de l'aviation. Il fit breveter en 1876 un appareil volant à hélice capable de s'élever avec un homme à bord.

Planck, Max 1858-1947
Physicien allemand qui formula la théorie des quanta, base de la physique moderne; elle modifia la compréhension qu'on avait de l'énergie et permit de faire d'autres découvertes.

Priestley, Joseph 1733-1804
Savant anglais qui réalisa la première production d'oxygène en 1774. Il est aussi l'inventeur de la première boisson gazeuse.

Ptolémée, Claude 2e s. apr. J.C.
Savant et astronome grec qui croyait que le Soleil et les planètes tournent autour de la Terre en effectuant une série de cercles compliqués. Cette théorie fut seulement réfutée au 16e siècle.

Röntgen, Wilhelm 1845-1923
Physicien allemand qui découvrit les rayons X.

Rutherford, Ernest 1871-1937
Physicien néo-zélandais qui fut le premier à suggérer que les atomes possèdent un noyau central autour duquel gravitent les électrons.

Sikorsky, Igor 1889-1972
Ingénieur américo-russe qui conçut le premier hélicoptère moderne.

Stephenson, George 1781-1848
Ingénieur anglais qui mit au point la locomotive à vapeur en 1814.

Talbot, William Fox 1800-1877
Physicien anglais qui réalisa le premier négatif sur papier dont on pouvait tirer des épreuves positives.

Tesla, Nikola 1857-1943
Ingénieur électricien yougoslave qui mit au point un type de moteur électrique appelé moteur à induction.

Thomson, Joseph 1856-1940
Physicien anglais qui découvrit l'électron.

Thomson, William (Lord Kelvin) 1824-1907
Physicien irlandais qui établit la théorie thermodynamique, et qui étudia le lien entre la chaleur et les autres formes d'énergie.

Torricelli, Evangelista 1608-1647
Savant italien qui inventa le baromètre.

Vinci, Léonard de, 1452-1519
Peintre et inventeur italien. Certaines des machines qu'il inventa étaient si en avance sur leur temps qu'elles ne furent mises au point que des centaines d'années plus tard.

Volta, Alessandro 1745-1827
Physicien italien qui inventa la pile électrique.

Watson-Watt, Robert 1892-1973
Savant écossais qui mit au point le radar.

Watt, James 1736-1819
Ingénieur écossais qui améliora et fit breveter en 1769 la première machine à vapeur. L'unité de puissance, le watt, a pris son nom.

Whittle, Frank 1907-
Ingénieur anglais qui conçut le premier turboréacteur.

Wright, Wilbur 1867-1912 et **Orville** 1871-1948
Aviateurs américains. Ils construisirent le premier aéroplane, qui effectua un premier vol à Kitty Hawk, aux Etats-Unis, en 1903.

Zeppelin, Ferdinand 1838-1917
Industriel allemand qui construisit le premier dirigeable.

Zworykin, Vladimir 1889-1982
Ingénieur américain d'origine russe qui fut l'un des pionniers de la télévision.

Quelques tableaux

Le système solaire

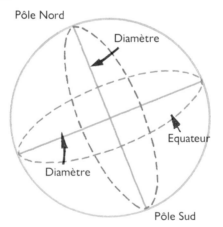

Planètes	Distance au Soleil	Diamètre	Durée de la révolution autour du Soleil	Nombre de satellites
Mercure	58 millions de km	4 900 km	88 jours	0
Vénus	108 millions de km	12 100 km	225 jours	0
Terre	150 millions de km	12 756 km	365,25 jours	1
Mars	228 millions de km	6 800 km	687 jours	2
Jupiter	778 millions de km	143 000 km	11,86 années	16
Saturne	1 431 millions de km	120 000 km	29,46 années	17
Uranus	2 886 millions de km	51,000 km	84 années	9
Neptune	4 529 millions de km	49 000 km	165 années	2
Pluton	5 936 millions de km	3 000 km	248 années	1

Quelques chiffres concernant la Terre

Diamètre à l'Equateur	12 756 km
Diamètre aux pôles	12 712 km
Sommet le plus élevé au-dessus du niveau de la mer (mont Everest)	8 848 m
Dépression la plus profonde au-dessous du niveau de la mer (fosse des Mariannes)	11 960 m
Superficie des terres	149 millions de km²
Superficie des mers	361 millions de km²
Surface de la Terre recouverte par la mer	71%

Pôle Nord

Diamètre

Equateur

Diamètre

Pôle Sud

Quelques chiffres concernant le Soleil

Diamètre	1 400 000 km
Température au centre	16 millions °C
Température à la surface	5 500 °C
Temps que met la lumière solaire pour arriver jusqu'à la Terre	8 mn 20 s

Tableau des températures

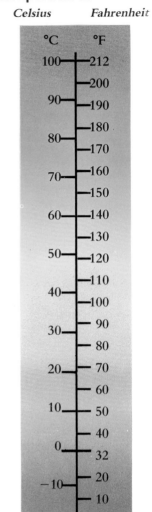

Celsius   *Fahrenheit*

°C   °F

°C	°F
100	212
	200
90	190
80	180
	170
70	160
	150
60	140
	130
50	120
	110
40	100
30	90
	80
20	70
	60
10	50
	40
0	32
	20
−10	10
−18	0

Les degrés Celsius et Fahrenheit sont des unités de températures. Pour convertir les degrés Celsius en Fahrenheit, on multiplie la température en Celsius par 9, puis on divise le chiffre obtenu par 5 et on ajoute 32.

Pour convertir les degrés Fahrenheit en Celsius, on enlève 32 de la température en Fahrenheit, on multiplie par 5 puis on divise le chiffre obtenu par 9.

Le système métrique

Longueur

1 centimètre (cm) = 10 millimètres (mm)
1 mètre (m) = 100 centimètres
1 kilomètre (km) = 1 000 mètres

Masse

1 kilogramme (kg) = 1 000 grammes (g)
1 tonne (t) = 1 000 kilogrammes

Surface

100 millimètres carrés (mm²) = 1 centimètre carré (cm²)
1 mètre carré (m²) = 10 000 centimètres carrés
1 hectare (ha) = 10 000 mètres carrés
1 kilomètre carré (km²) = 1 million de mètres carrés

Volume

1 centimètre cube (cm³) = 1 millilitre (ml)
1 litre (l) = 1 000 millilitres
1 mètre cube (m³) = 1 000 litres

Le système impérial* – Quelques équivalences

Longueur

1 pouce = 2,5 cm
1 pied = 30,48 cm
1 yard = 0,914 m
1 mile = 1 609 m

Masse

1 livre = 453,6 g
1 once = 28,35 g
1 stone = 6,348 kg

Surface

1 pied carré (ft²) = 144 pouces carrés
1 yard (yd²) = 9 pieds carrés
1 acre = 4 840 yards carrés
1 mile carré = 640 acres

Volume

1 once liquide = 0,028 l
1 pinte = 0,57 l
1 gallon = 4,546 l

Ce système est encore utilisé de nos jours, par exemple au Royaume-Uni, mais avec les perspectives de l'unification européenne en 1992, il est de plus en plus remplacé par le système métrique.

Les préfixes du système métrique

Les préfixes qui précèdent une unité de mesure indiquent en combien de fois l'unité est multipliée.
Par exemple, 1 kilovolt (1 kV) est égal à mille volts (1 000 V).

Préfixe	micro	milli	centi
Symbole	μ	m	c
L'unité est multipliée par	1 millionième (0,000 001)	1 millième (0,001)	1 centième (0,01)

Préfixe	déci	kilo	méga
Symbole	d	k	M
L'unité est multipliée par	1 dixième (0,1)	1 millier (1 000)	1 million (1 000 000)

Glossaire

Absorber. Laisser pénétrer et retenir, comme par exemple une éponge qui absorbe l'eau.

Accélération. Augmentation de vitesse.

Acoustique. La façon dont un son se propage dans une pièce. Egalement, partie de la physique qui traite des sons et des ondes sonores.

Aérodynamique. Etude des mouvements de l'air autour des corps.

Aérosol. Appareil contenant une substance sous pression et utilisé pour vaporiser les liquides, telle la peinture, en un fin nuage.

Aimant. Matière émettant une force magnétique qui attire des métaux, tels le fer, le cobalt ou le nickel. Si on laisse un aimant libre de bouger, il s'aligne avec les pôles Nord et Sud de la Terre.

Alchimie. Forme ancienne de la chimie. Les alchimistes tentèrent de transformer des objets en or.

Alliage. Métal composé d'un mélange de différents métaux.

Amplificateur. Système électronique qui augmente l'amplitude des signaux électriques.

Antenne. Une longueur de fil électrique qui sert à émettre ou recevoir des ondes radio.

Astronomie. Etude scientifique des corps dans l'espace, tels les astéroïdes, les étoiles et les planètes.

Atmosphère. Couche de gaz qui entoure la Terre.

Atomes. Particules minuscules qui sont à l'origine de tout corps.

Attirer. Faire venir quelque chose à soi. L'aimant attire le fer.

Balancier. Poids suspendu qui se balance d'avant en arrière et qui permet de régler les horloges, chaque mouvement durant le même laps de temps.

Baromètre. Instrument qui sert à mesurer la pression atmosphérique.

Biologie. Etude scientifique de tous les êtres vivants.

Botanique. Etude scientifique des plantes.

Boussole. Appareil qui se sert du magnétisme terrestre pour indiquer dans quelle direction on est tourné.

Calorie. Unité d'énergie qui sert souvent à mesurer la valeur énergétique des aliments. Une calorie est égale à 4,18 joules.

Celsius. Echelle de température qui fixe le point de fusion de l'eau pure à 0 degré et son point d'ébullition à 100 degrés.

Champ électrique. Espace autour d'une charge électrique dans lequel agit sa force électrique.

Champ magnétique. Espace autour d'un aimant dans lequel s'exerce sa force magnétique.

Charge électrique. Un corps qui a une charge électrique véhicule de l'électricité. Il y a deux genres de charge électrique, une négative et une positive.

Chimie. Etude scientifique de toutes les substances, de leurs réactions et de leurs combinaisons entre elles.

Chlorophylle. Le produit chimique à l'intérieur des feuilles qui donne aux plantes leur couleur verte et joue un rôle essentiel dans la photosynthèse.

Circuit. Un conducteur électrique continu, tel un fil, à travers lequel passe l'électricité.

Classification périodique des éléments. Tableau qui montre tous les éléments classés par groupes, les éléments d'un même groupe ayant des propriétés identiques.

Combustible fossile. Un combustible tel que le charbon ou le pétrole dont la formation remonte à des millions d'années et qu'on extrait du sol.

Combustion. Processus qui consiste à brûler.

Comprimer. Ecraser de façon à prendre moins de place.

Condensation. Phénomène selon lequel une vapeur se transforme en liquide en refroidissant.

Conducteur. Matière qui laisse passer facilement l'électricité ou la chaleur.

Congélation, point de. Température à laquelle un liquide gèle et se transforme en solide.

Conteneur sous pression. Conteneur dont on se sert pour garder les liquides et les gaz à haute pression.

Contraction. Lorsqu'un corps rapetisse.

Convection. Phénomène selon lequel la chaleur est transportée par un liquide ou un gaz. Il y a courant de convection lorsqu'il y a circulation de liquide ou de gaz chargés de chaleur.

Corps composé. Substance composée d'atomes de différents éléments réunis chimiquement.

Courant alternatif. Courant électrique qui change de direction, généralement plusieurs fois à la seconde.

Courant ascendant. Courant d'air qui s'élève sous l'effet de la chaleur.

Courant continu. Courant électrique qui circule dans une seule direction à l'intérieur d'un circuit.

Décélération. Réduction de la vitesse.

Décibel. Unité qui sert à mesurer la puissance, ou intensité, du son.

Densité. Le poids d'un corps par rapport à sa taille.

Diamètre. Ligne droite qui passe par le centre d'un cercle.

Diffusion. Phénomène selon lequel les molécules d'une substance se répartissent parmi celles d'une autre.

Dilatation thermique. Augmentation du volume d'un corps sous l'effet de la chaleur.

Disque compact. Disque sur lequel le son ou les données informatiques sont enregistrés sous forme de codage numérique.

Données. En informatique, autre mot pour informations.

Données numériques. Information stockée dans les ordinateurs sous forme de nombres binaires.

Dynamo. Sorte de générateur qui produit du courant continu.

Ebullition, point d'. Température à laquelle un liquide bout, se transformant en gaz.

Echelle centigrade. Echelle qui est divisée en 100 unités.

Echolocation. Utilisation de l'écho que renvoie un son pour se diriger.

Electricité dynamique. Forme d'électricité qui circule dans les fils électriques.

Electricité statique. Electricité qui ne bouge pas car elle s'accumule sur les isolants.

Electro-aimant. Bobine qui produit un champ magnétique lorsqu'elle est traversée par un courant électrique.

Electronique. Technologie qui concerne les circuits et les puces électroniques.

Electrons. De toutes petites particules à l'intérieur des atomes qui possèdent une charge négative.

Elément. Substance qui est composée d'un seul type d'atome.

Energie. Possibilité d'effectuer un travail et de produire une force. Il y a différentes formes d'énergies dont l'énergie thermique, lumineuse, sonore, chimique et nucléaire.

Etoile. Corps dans l'espace qui émet sa propre lumière.

Evaporation. Transformation d'un liquide en gaz lorsqu'il est en dessous de son point d'ébullition.

Fahrenheit. Echelle de température qui fixe le point de congélation de l'eau pure à 32 degrés et son point d'ébullition à 212 degrés.

Fibre optique. Mince morceau de verre dans lequel la lumière peut se propager sur de longues distances. La lumière permet ainsi de véhiculer des appels téléphoniques et des données informatiques.

Fission. Désintégration du noyau de l'atome, ce qui libère une énorme quantité d'énergie nucléaire.

Flottabilité. Capacité qu'a un corps de flotter.

Fluide. Soit un liquide soit un gaz.

Force. Toute cause capable de déformer un corps, ou d'en modifier le mouvement, la direction, la vitesse.

Force nucléaire. Force très puissante qui unit protons et neutrons à l'intérieur du noyau d'un atome.

Foyer. Point où se rencontrent les rayons de lumière d'une lentille ou d'un miroir concave.

Friction. Force dont l'action empêche les corps de bouger ou qui les ralentit s'ils sont déjà en mouvement.

Fusion. Combinaison des noyaux de différents atomes, qui produit une énorme quantité d'énergie nucléaire.

Fusion, point de. Température à laquelle un solide fond et se transforme en liquide.

Générateur ou **génératrice.** Machine qui transforme l'énergie du mouvement, ou énergie cinétique, en énergie électrique.

Géographie. Etude scientifique de la Terre.

Géologie. Etude scientifique des roches de la Terre et de son écorce.

Graphite. Forme d'un élément, le carbone, tendre et qui s'effrite, utilisé comme lubrifiant et dans les mines de crayon.

Grossir. Faire paraître plus gros grâce à des lentilles.

Hauteur. Sensation d'aigu ou de grave d'un son.

Hologramme. Une photo spéciale en trois dimensions prise avec un laser.

Humidité. La quantité d'eau, de vapeur qu'il y a dans l'air.

Hydro-électricité. Electricité qui provient de l'énergie du mouvement de l'eau.

Inertie. La tendance des corps à rester immobiles ou à continuer à se déplacer à la même vitesse sur la même ligne droite, à moins qu'ils ne soient soumis à une force.

Inflammable. Qui peut facilement prendre feu.

Isolant. Matière qui ne laisse pas passer facilement l'électricité ou la chaleur.

Kérosène. Combustible utilisé pour l'alimentation des réacteurs d'avion.

Laser. Système qui permet de produire un faisceau de lumière très brillant et qu'on utilise pour découper les objets ou transporter des informations.

Lubrification. Utilisation d'un liquide épais, appelé lubrifiant, pour réduire la friction entre les parties en mouvement d'une machine.

Lumière visible. Toute la lumière et les couleurs que l'oeil humain peut percevoir.

Lumineux. Un corps lumineux dégage de la lumière.

Magnétite. Matière magnétique par nature.

Marémotrice, énergie. Energie des marées qui permet de produire de l'électricité en utilisant la force du mouvement de l'eau.

Masse. Quantité de matière d'un corps.

Mathématiques. Science des chiffres, des quantités et des formes.

Matière. Tout corps physique qui occupe un espace.

Mélange. Deux éléments ou composés ou davantage qui sont associés mais ne sont pas unis chimiquement les uns aux autres.

Météorologie. Etude scientifique du temps.

Microscope. Appareil qui grossit plusieurs fois les petits corps grâce à des lentilles.

Molécule. Particule qui contient deux ou plusieurs atomes réunis.

Neutrons. Particules à l'intérieur des noyaux des atomes. Ils ne portent aucune charge électrique.

Noyau. Partie centrale d'un atome qui contient les protons et les neutrons. Les électrons tournent autour du noyau.

Opaque. Un corps opaque ne laisse pas passer la lumière.

Orbite. Trajectoire courbe d'un satellite ou d'une planète.

Ozone. Couche de gaz dans l'atmosphère qui protège la Terre des radiations ultraviolettes du Soleil.

Particule. Un minuscule morceau de matière.

Perspective. Une façon de dessiner des images en donnant l'impression de distance et de profondeur.

Pétrole brut. Pétrole qu'on extrait du sol, avant raffinage.

Photopile. Appareil qui transforme l'énergie lumineuse en énergie électrique.

Physique. Etude scientifique de la matière et de l'énergie.

Planète. Enorme boule de roche ou de gaz qui tourne autour d'une étoile. Elle réfléchit la lumière de l'étoile mais n'émet pas de lumière propre.

Pôles. Les extrémités d'un aimant ou les endroits de la Terre où le champ magnétique est le plus fort.

Pollution. Vapeurs toxiques, résidus chimiques et déchets qui salissent l'environnement.

Polymère. Matière qui est composée de très longues molécules.

Poussée. Force qui pousse vers le haut un corps dans un liquide ou dans un gaz, lui permettant ainsi de flotter.

Pression. Force qui s'exerce sur une surface donnée.

Pression atmosphérique. Pression qu'exerce sur la Terre le poids des gaz dans l'atmosphère.

Protons. Particules à l'intérieur du noyau de l'atome qui portent une charge positive.

Puce électronique. Minuscule morceau de silicium qui contient des milliers de circuits électroniques. On l'appelle aussi pastille de silicium.

Radar. Système qui émet des ondes radio et en reçoit l'écho, ce qui permet de déterminer la direction et la distance d'un objet.

Radiation nucléaire. Rayonnement dangereux qui émane des matières radioactives.

Rayonnement thermique. Transport de chaleur par les rayons infrarouges.

Réacteur nucléaire. Endroit où se fait la fission des noyaux des atomes afin de produire de l'énergie.

Réaction. La force opposée et égale qu'entraîne toute action.

Réaction chimique. Processus selon lequel des atomes de différents corps s'unissent pour former une substance nouvelle.

Recycler. Se resservir de quelque chose plutôt que de le jeter, afin de préserver les ressources mondiales et de réduire la pollution.

Réflexion. Changement de direction de la lumière ou du son lorsqu'ils rencontrent un corps interposé.

Réfraction. Déviation des rayons lumineux lorsqu'ils traversent différentes matières.

Rendement. Quantité d'énergie utilisable par rapport à la quantité d'énergie mise en oeuvre.

Résistance de l'air. Poussée de l'air qui freine le déplacement d'un corps.

Résistance électrique. Lorsqu'une matière ralentit le courant électrique qui la traverse.

Solution. Un solide, un liquide ou un gaz qui est mélangé, ou dissout, dans un liquide. La substance qui est dissoute s'appelle le soluté, la substance qui dissout le solvant.

Sonar. Equipement de détection sous-marine qui se sert de l'écho des ultrasons.

Spectre. Toutes les couleurs qui forment ensemble la lumière blanche.

Supersonique. Plus rapide que la vitesse du son.

Système solaire. Le Soleil et tous les corps qui tournent autour de lui, telles les planètes.

Technologie. Développement de nouvelles techniques qui résulte des progrès de la science.

Télescope. Instrument utilisant des lentilles pour grossir les objets éloignés.

Température. Degré de chaleur ou de froid d'un corps.

Thermomètre. Instrument destiné à mesurer les températures.

Translucide. Un corps translucide laisse passer la lumière en partie seulement.

Transparent. Un corps transparent laisse passer toute la lumière.

Tremblement de terre. Vibrations de l'écorce terrestre provoquées par le mouvement des roches sous la surface.

Vibration. Mouvement de va-et-vient continu et très rapide.

Vide. Espace totalement vide, qui ne contient ni solides, ni liquides, ni gaz.

Viscosité. Degré d'épaisseur d'un liquide.

Vitesse. Distance parcourue par un corps en un temps donné.

Volume. Quantité d'espace qu'occupe un corps.

Zoologie. Etude scientifique des animaux.

Index

A

A (ampères), 94
a.m. (ante meridiem, le matin), 8
absorption
    de la chaleur, 18, 19
    de la lumière, 53, 63
accélération, 28, 33, 34
acier, 90, 98
    inoxydable 90
acoustique, 67
acrylique, 91
action (de forces), 29
aérodynamique, 31
aérofreins (d'avion), 46
aéroglisseur, 31
aérosol, 81
ailerons, 46
ailes (d'avion), 46
aimants, 98-99, 100, 101
air
    atmosphère, 23
    chauffer, 16
    comprimé, 40
    gaz dans, 23, 87
    pression atmosphérique, 84, 85
    vibration, 64
alarme, 19
alchimie, 87
Alcock, John, 47
Aldrin, Edwin, 48
alliages, 90
aluminium, 90
Ampère, André, 110
ampères, 94
amplificateur, 100, 101
amplitude, 70
anhydride sulfureux, 25
animal, 20-21
    le plus bruyant, 69
    camouflage, art du, 62
    électricité dans, 93
    énergie des, 20, 21
    navigation, 98
    ouïe, 73
    terrestre le plus rapide, 35
    volant le plus gros, 47
    vue, 58

année
    bissextile, 9
    de calendrier, 9
antenne, 106, 107
Apollo, 11, 48
appareil, photo, 59
arc-en-ciel, 60
Archimède, 39, 110
argile, 90
argon, 23, 87
Ariane (fusée), 48
Aristote, 110
Armstrong, Neil, 48
astronautes, 19, 48, 49
atmosphère, 18, 23, 52, 61
    pression dans, 41
    signaux radio dans, 106
atomes, 25, 76-77
    dans corps composés, 86, 87
    dans dilatation thermique, 80, 81
    dans électricité, 94, 97
    dans éléments, 86, 87
    dans solides, liquides, gaz, 78
avion, 46, 47
    à réaction, 47
    à réaction le plus rapide, 65
    supersonique, 65
axe de la Terre, 9
azote, 23, 87

B

Babbage, Charles, 110
Baird, John Logie, 110
baleines (écholocation), 72
ballons, 39
    d'air chaud, 46, 47
bande 101
Barthélemy, René, 110
base 2, 5
base 10, 5
base 60, 5
BASIC (langage d'ordinateur), 108
bateau, 38, 39
batterie, 71
Becquerel, Henri, 110
Bell, Alexander Graham, 69, 110
Benz, Carl, 110

Blériot, Louis, 47
Bohr, Niels, 110
boissons gazeuses, 79
bombe nucléaire, 77
boussole, 98
Boyle, Robert, 110
Braun, Wernher von, 110
briques, 90
bronze, 90
Brown, Arthur Whitten, 47

C

°C (Celsius), 15, 114
c (centi-), 115
câbles électriques, 96, 103
caisse de résonance, 71
calculatrice, 5
calendrier égyptien, 8
caméra de télévision, 107
camouflage, 62
canaux semi-circulaires (de l'oreille), 68
capillarité, 79
carbone, 87, 88, 90
Carothers, Wallace, 110
cassette, 101, 108
cellule, de platine tourne-disque, 101
Celsius (°C), 15, 114
cendres, 88
centi-, 115
centrale(s)
    électriques, 12, 96, 102-103
    hydro-électriques, 26
    la plus puissante du monde, 103
    nucléaires, 25, 77
centre
    de gravité, 32
    de la Terre, 23
céramique, 90
    isolants en, 94, 103
Chadwick, James, 110
chaîne
    alimentaire, 20
    hi-fi, 100
chair de poule, 15
chaleur
    absorption de, 19

Réponses

Page 5
Les chiffres romains

De nos jours, on trouve encore les chiffres romains dans les cas suivants:
- pour indiquer les heures sur les cadrans des horloges
- pour numéroter les chapitres d'un livre
- pour indiquer la date sur certaines pièces de monnaie
- pour indiquer les dates sur les monuments
- dans les noms des rois et des reines, par exemple Louis XIV.

Page 7
Combien mesurez-vous?

Les réponses varient selon la taille des personnes. Leurs bras, leurs mains et leurs pieds ne sont pas de la même grosseur, donc une unité de mesure qui est fondée sur le corps de quelqu'un ne sera pas la même que celle qui s'appuie sur le corps d'une autre personne.

Page 11
Cherchez l'énergie

Il y a plusieurs objets sur l'illustration qui ont une énergie cinétique:
- les voitures et le camion qui roulent
- la bicyclette qui bouge
- la balle que lance le garçon
- les bateaux à voiles
- le garçon sur la balançoire
- les oiseaux qui volent
- les gouttes de pluie qui tombent
- le sèche-cheveux utilise de l'énergie électrique
- la tondeuse à gazon a besoin d'énergie électrique
- la lampe au-dessus de la porte fournit de l'énergie lumineuse
- les phares de la voiture donnent aussi de l'énergie lumineuse
- les pommes sur l'arbre ont une énergie potentielle
- les oisillons dans le nid ont une énergie potentielle

Page 13
Cherchez les transformations d'énergie

L'énergie cinétique du vent se transforme en énergie cinétique du bateau à voiles en mouvement.

L'énergie potentielle de l'homme sur la jetée se transforme en énergie cinétique au moment où il plonge dans l'eau.

L'énergie chimique du carburant dans le moteur se transforme en énergie cinétique du canot à moteur qui avance.

Page 33
Problème

Sur Terre, une masse d'un kg pèse à peu près 10 N. Pour calculer votre poids en newtons, il faut donc multiplier votre masse en kilos par 10. Par exemple, si votre masse est de 50 kg, vous pèseriez 500 N. (Plus exactement, 1 kg pèse 9,8 N sur Terre, donc pour calculer votre poids exact en newtons, multipliez votre masse en kilos par 9,8).

Sur la Lune, une masse d'un kg pèse seulement 1,6 N. Pour calculer votre poids sur la Lune, multipliez votre masse en kilos par 1,6. Par exemple, si elle est de 50 kg, vous pèseriez 80 N.

Page 40
La pression

Un couteau tranchant coupe mieux qu'un couteau émoussé parce que la poussée du côté tranchant est concentrée sur une surface plus petite. Ce qui signifie qu'un couteau tranchant exerce davantage de pression sur un objet qu'un couteau qui ne l'est pas.

De même, les clous ont des extrémités pointues pour qu'on puisse facilement les enfoncer dans quelque chose. Plus la pointe du clou est acérée, plus la pression est grande car elle s'exerce sur une surface plus petite.

Page 55
Un bon tour

Si vous vérifiez avec une règle, vous vous apercevrez que les deux lignes sont exactement de la même longueur.